Marie, je te regarde

DU MÊME AUTEUR
CHEZ LE MÊME ÉDITEUR

Trente minutes pour Dieu, 1974
André Sève interroge Georges Brassens :
Toute une vie pour la chanson, 1975
Essayer d'aimer, 1976 ; coll. Foi vivante (poche), 1990 ;
 Le grand livre du mois, 1992
Vivre la foi aujourd'hui, 1976
Des chrétiens dans la vie, 1978
Avec Jésus qu'est-ce que tu vis ? 1978
Ma vie c'est le Christ : Emmanuel d'Alzon, 1980
Le goût de la vie, 1982
Un rendez-vous d'amour, 168 méditations sur les évangiles du dimanche, 1983
41 prières toutes simples, 1984
Si nous parlions de Dieu ? 1985
Le cardinal Decourtray, 22 entretiens avec André Sève, 1986 et 1993
Quand les hommes vivront d'amour, 1986
Prier aujourd'hui, 1988
Ils ont ouvert leur porte à Dieu, 1988
Saisis par le Christ, 160 méditations sur la deuxième lecture des dimanches, 1989
Inventer l'automne, 20 méditations pour le temps du 3e âge, 1990
Le manteau de Martin, 43 dialogues sur le partage, 1991
365 matins, 3 minutes d'éveil, 1992
Oui à l'Église, 15 méditations sur l'Église, 1993
Pour accueillir le soir, 180 méditations

André Sève, né à Crest (Drôme), assomptionniste, journaliste, a animé successivement, comme rédacteur en chef, les périodiques *Bayard, Rallye-Jeunesse, Panorama chrétien, Peuples du monde.* Il tient des rubriques régulières dans *Signes d'aujourd'hui.* Ses articles, ses interviews, ses ouvrages témoignent d'une persévérante attention à ce que vivent les gens. Chez lui les mots ont la saveur du vécu.

André Sève

Marie, je te regarde

Dix méditations

BAYARD ÉDITIONS / CENTURION

ISBN 2-227-436-01-8

3, rue Bayard, 75008 Paris

ISBN 2.89088.738.3

Regarder Marie

Un an de travail sur Marie change les idées et le cœur. J'ai commencé dans l'embarras. Fallait-il rester dans l'excessive discrétion qui a suivi Vatican II ou se joindre à ceux qui affirment : « De Marie, on ne parle jamais trop ! » ?

De méditation en méditation, une lumière grandissait : Marie est le modèle de l'existence chrétienne dans ce qu'elle a de plus juste et de plus fort : l'adhésion aux desseins de Dieu.

Cette idée d'adhésion ne me quitte plus. C'est tout Marie, et cela peut rendre notre vie féconde et inébranlable comme la sienne.

J'ai essayé de me maintenir dans cette lumière, depuis l'étude de Marie dans la Bible jusqu'à la contemplation des icônes, et j'ai senti la force de son cri d'adhésion : « Je suis la Servante ! »

Je vois maintenant pourquoi Marie est importante. Elle n'est pas l'essentiel, mais elle est au service de l'essentiel.

Pour elle cette notion si biblique de service a pris une incroyable ampleur. Sa vie devint pleine et immense quand Dieu lui annonça (même si cela resta pour elle longtemps obscur) : je veux que mon Fils se fasse homme et je te requiers pour sa naissance d'homme.

Paul a tout dit dans une courte phrase : « Dieu a envoyé son Fils, né d'une femme » (Ga 4, 4). Et cette femme, c'était Marie !

Deux annonces semblables ouvrent le Nouveau Testament. Dans Jean : « Le Verbe s'est fait chair. » Et dans Luc : « Tu vas enfanter le Fils du Très-Haut. »

Karl Rahner décrit ainsi l'Annonciation : « Moment unique, point de tangence de l'éternité de Dieu et de la mobilité de l'histoire humaine. » Regarder Marie, c'est voir qu'elle est à ce point de tangence : l'accueil de Dieu venu chez nous.

Au bout de l'Ancien Testament dont elle fut la fille, au début du Nouveau dont elle sera la mère, Marie a été choisie pour permettre à Dieu de courir l'aventure la plus inouïe que nous connaissions de lui : se faire homme.

L'Incarnation est le roc de notre foi. Les autres religions et les imaginations actuelles bâtissent des romans humains. Pour nous, chrétiens, le roman est divin. Dieu s'est fait réellement visible, il a voulu tout savoir de nous, pour nous guider et nous sauver du dedans de notre vie. Mesurer cela, c'est regarder Marie qui nous dit : « Voilà de quoi je suis la servante. »

C'était fantastique pour elle, mais cela ne doit jamais nous faire oublier que ce qui est fantastique, c'est que Dieu sorte de ses frontières et vienne chez nous.

La justesse et la mesure de toute parole sur Marie tiennent à ce regard sur sa mission : servir l'Incarnation, en offrant son corps, sa foi et son courage. « Celui que le ciel ne peut contenir, dit un beau cantique, tu le portes en toi. »

Dieu s'est fait homme jusque-là. Il y a eu, entre les bras d'une maman puis sur nos chemins, dans nos joies et dans nos souffrances, un homme exactement comme nous, mais il venait du monde de Dieu et il était Dieu. Les journalistes de ce temps-là, dit Bernanos, n'en ont rien su ! C'est pourtant l'énorme nouvelle. Le soleil dans lequel vivent les chrétiens, même quand ils sont tristes, pourvu qu'ils puissent encore dire : « Jésus ».

Tu as été la première à le dire, Marie, et qui mieux que toi peut nous apprendre à dire : « Jésus Sauveur ».

[illegible] pour elle [illegible] jamais [illegible] avec ce qui est [illegible] est pur [illegible] porte d'[illegible] heureuses [illegible] chez celui.

Heureuse et la mère de notre parole [illegible] Marie [illegible] avec grand [illegible] l'incarnation, en [illegible] son [illegible] [illegible] un beau cantique [illegible]

Dieu s'est fait homme [illegible], entre les [illegible] d'une [illegible] pour [illegible] dans nos [illegible] [illegible] de Dieu et [illegible] Dieu. Les jours [illegible] de ce temps-là [illegible] [illegible] le soleil dans leur [illegible] quand ils [illegible]

[illegible] et qui mettent [illegible] Jésus Sauveur.

Premier regard

Marie des Évangiles

Pour regarder Marie nous ferons appel à tout : la voix de l'Église, la liturgie, le dogme et les foules des apparitions. Mais l'étude des Évangiles va nous permettre d'acquérir d'abord les bases solides d'une contemplation que nous pourrons ensuite élargir.

« Réjouis-toi, la très-aimée »

La route évangélique de Marie commence à Nazareth, très petit village à cette époque. Et un si total silence au sujet de Marie que cela m'a toujours surpris. Tout de même, cette adolescente que nous allons découvrir si grande, avec Luc (1, 26-38), passait-elle à ce point inaperçue dans les ruelles et à la fontaine ?

Même plus tard, quand les gens de Nazareth voudront parler d'un concitoyen qui commence à les surprendre, ils diront : « C'est le fils de Marie. » Mais aucune exclamation, aucun adjectif ne donnera un peu de couleur à ce nom. Marie a dépassé alors la quarantaine. Elle semble être ce qu'elle a toujours été à Nazareth : une femme comme toutes les autres. Rien ne me fait plus méditer sur la grandeur cachée.

C'est donc à une inconnue des hommes que Gabriel est envoyé. Mais pas inconnue de Dieu ! « Réjouis-toi, lui dit l'ange, tu es la très-aimée. »

Marie connaît assez les Écritures pour être bouleversée, car ce « réjouis-toi » a une forte résonance messianique, et l'ange se hâte de lui annoncer que c'est bien du Messie qu'il s'agit : « Tu vas concevoir et enfanter un fils que tu appelleras Jésus. On l'appellera le Fils du Très-Haut. »

C'est ici que nous faisons connaissance avec l'inconnue de Nazareth. Pour une telle mission, Dieu a bien choisi ! Cette jeune fille voit tomber sur elle la faveur dont toute juive rêvait : être la mère du Messie. Et elle trouve immédiatement et très exactement la bonne attitude et les mots adaptés. On serait gêné si on la voyait minauder, faire de la fausse humilité ou s'exclamer trop fort.

Non, elle est déjà prête et toute tendue vers la première difficulté à vaincre : « Comment cela va-t-il se faire puisque je ne connais pas d'homme ? » (Lc 1, 35). Elle entre en plein présent, elle sent l'imminence de ce qui va se produire.

Et nous, par ce fameux verset 1, 35, nous allons être haussés jusqu'au projet de Dieu. Bien au-delà du simple messianisme ! « L'Esprit vient sur toi, la puissance du Très-

Haut te couvre de son ombre. C'est pourquoi celui qui naît en toi est le saint, le Fils de Dieu. »

Nous voici devant deux révélations liées : la conception virginale de Jésus et sa filiation divine. Ne les mettons pas à la même hauteur. La conception virginale est au service de la filiation divine. Jésus n'a qu'un Père, sa conception ne peut pas être ordinaire mais elle ne nous fait pas croire à la filiation divine, elle fait partie de la réalisation de cette filiation. Puissance de vie, l'Esprit vient de faire naître la vie divine dans un ventre de femme.

Marie, comment réagis-tu devant cette mission fabuleuse ? Tu étais prête à devenir la mère du Messie. Mais quel Messie ? Celui dont on te parlait tant, le puissant libérateur qui redonnerait à Israël la gloire des règnes de David et de Salomon. Et plus encore : un roi qui soumettrait toutes les nations à l'influence bénéfique du peuple juif.

Pas plus qu'aucun juif, tu ne pouvais imaginer un Messie Fils de Dieu comme nous l'affirmons dans notre Credo. Mais tu dis tout de suite le mot qui t'ouvre aux desseins de Dieu : « Je suis la servante de tout ce qui va arriver. »

Ô Marie, si économe en paroles mais si précise et si totalement donnée ! Dieu n'avait pas besoin seulement de ton corps mais de toute la puissance de ta foi. Ton adhésion est le premier berceau de l'Enfant.

Comment, juive, Marie a-t-elle pu imaginer un Fils de Dieu quand elle a perçu les frémissements de l'incroyable révélation : nous n'en savons rien. Le meilleur essai de réponse nous vient de *Lumen gentium*, dans le chapitre 8 qui sera une de nos méditations : « La bienheureuse Vierge avança dans son cheminement de foi. »

Cheminement ! On n'aurait pas osé dire cela avant cette parole d'Église. On voyait Marie d'emblée en possession de tout le mystère, tout à tour langeant le bébé puis adorant l'Enfant-Dieu. Non, elle a cheminé ; et c'est ainsi qu'elle peut nous faire cheminer avec elle.

Quand je vois, dans un film sur Jésus, les apôtres se prosterner aux pieds de Jésus je suis gêné. Aucun homme ne s'est prosterné devant un autre homme en le prenant pour Dieu. C'est seulement devant le Ressuscité, après le cri de Thomas — « Mon Seigneur et mon Dieu » — et surtout après la Pentecôte (mais lentement) et trois siècles de conciles, que l'on a pu dire à un homme : « Mon Dieu ! » Et jusqu'à son retour glorieux nous balancerons toujours entre docétisme (il n'est pas vraiment homme) et arianisme (il n'est pas vraiment Dieu).

Le plus triomphant de nos chants, le *Te Deum*, a lui-même sa petite hésitation docète : « Ô Christ, le Fils du Dieu vivant, tu n'as pas craint de prendre chair dans le corps d'une vierge. »

C'est pourtant bien ce qui s'est passé pendant l'Annonciation. « Le Verbe s'est fait chair » : cela veut dire que le Fils de Dieu a accepté le processus biologique par lequel un homme naît. L'embryon et la lente gestation. Quel mystère, l'Incarnation vécue par Marie !

Celle qui a cru

Marie est pressée d'aller voir la seule femme avec laquelle elle peut partager son secret. Déjà elle vit avec l'Enfant son étonnante maternité : elle le porte, mais il la porte. Toute bondissante elle arrive chez sa cousine Élisabeth.

Aucune page de l'Évangile n'est aussi explosivement joyeuse et remplie de l'Esprit Saint.

Élisabeth : – Quel bonheur pour moi ! Que tu es heureuse, Marie !
Marie : – Magnificat !

Cette Marie vive et gaie est la première missionnaire. Elle s'en allait mettre Élisabeth au contact de la vie de Jésus qu'elle portait en elle. Une vie à peine commençante. Comment ne pas penser que nous avons nous aussi en nous la vie commençante de Jésus, à faire grandir et à porter aux autres.

À peine Marie avait-elle adhéré à l'immense aventure de la Vie chez nous (« Qu'il me soit fait comme tu viens de le dire ») qu'elle est poussée vers l'annonce : « Elle partit en hâte. » Je crois, je suis follement heureuse, je vais le dire. L'élan missionnaire est la joie de l'annonce reçue et de l'annonce à faire.

Élisabeth reçoit, un peu éberluée, cette exultation. Elle était enclose dans sa maison et sa maternité. Marie de l'Évangile se lance dans l'univers du Salut. En s'adaptant immédiatement à toutes les situations. La Recueillie de l'Annonciation, la princesse du choix de Dieu va s'activer maintenant au ménage d'Élisabeth. Luther pense que Marie a été exposée à des tentations d'orgueil, mais son humilité l'a sauvée[1]. Elle va affirmer : « Toutes les générations me diront bienheureuse », sans rien perdre de sa tranquille simplicité : « Le Puissant a jeté les yeux sur ma bassesse. » Et nous, remarque Luther, dès que nous avons un petit avantage notre prétention n'a plus de bornes !

---

1. Luther, dans son beau commentaire du *Magnificat*.

Je ne connais pas d'image montrant Marie en train de balayer. C'est pourtant la question qui nous hante depuis l'Annonciation : « Comment vit-on un tel mystère ? Une telle mission ? » Marie reste servante du grand dessein, dans la plus obscure quotidienneté.

Mais Élisabeth voit immédiatement la gloire de Marie parce qu'elle est remplie de l'Esprit et qu'elle sent le petit Jean Baptiste tressaillir de joie dans son sein. Elle va nous enseigner un des regards sur Marie : « Tu es celle qui a cru. »

Quand nous l'entendons dire : « La mère de mon Seigneur est venue me visiter », restons dans l'inexprimé des commencements et dans l'art de Luc de glisser des formules ouvertes qui pourront porter un jour tout le mystère.

Il met justement sur les lèvres de Marie ce *Magnificat* qui est le chant le plus ouvert à la très juive explosion messianique, mais qui célébrera aussi toutes les occasions chrétiennes de dire à Dieu notre joie reconnaissante : « Tu as fait pour nous des merveilles. »

Marie joue-t-elle la révolutionnaire ? Les riches écrasés et les pauvres triomphants. La jeune disciple des prophètes voit plutôt que c'est la richesse qui est écrasée et la pauvreté exaltée.

Les révolutionnaires changent les structures et les situations. L'Évangile veut modeler des cœurs capables de réaliser des structures de justice et de bonté. Mais il sera toujours plus facile, hélas, de faire la révolution que d'imprégner d'Évangile tous les cœurs. Les cœurs des riches et les cœurs des pauvres.

Fille d'Israël, Marie est devenue très vite fille de cet Évangile qui ne cessera de révéler l'amour de Dieu pour les pauvres : « Le Puissant renvoie les riches les mains vides. » Que les riches aient finalement les mains vides de vie, rien ne peut être dit de plus dur et de plus vrai.

La sachant pétrie de Bible, Luc fait parcourir à Marie toute l'histoire de la grande Promesse, depuis Abraham jusqu'à un « à jamais » qui chante l'intrépidité de son espérance.

Marie de la crèche

Le recensement a poussé Marie et Joseph de Nazareth à Bethléem, à une centaine de kilomètres. Marie va accoucher. En voyant le caravansérail plein de gens et de bêtes, Joseph cherche un endroit plus tranquille où la pudeur de Marie sera respectée : « Il n'y avait pas de place décente pour eux. »

Dire qu'on les a rejetés, c'est bien mal connaître l'hospitalité orientale, et plus généralement l'hospitalité des gens modestes. Il y a là le début d'une confusion entre pauvreté et misère dans l'interprétation de l'Évangile.

Jésus vivra pauvre et il aimera les petites gens, mais il n'a jamais été rejeté comme miséreux. Il demande qu'on se batte contre la misère : « J'ai eu faim et vous m'avez donné à manger. J'étais sans domicile et vous m'avez recueilli » (Mt 25, 35).

Joseph trouva un endroit tranquille, une grotte-étable. Marie était prête, elle avait emporté des langes. Luc est ici d'une sobriété extrême : « Elle mit au monde son fils, l'emmaillota et le coucha dans une mangeoire. » Cela nous donne largement de quoi rêver sur les premiers gestes et les premiers regards de Marie face au bébé.

Mais l'Évangile se hâte d'amener tout le monde à l'Enfant : d'abord les bergers à la crèche (Luc), puis plus tard les Mages à la maison (Matthieu). Les deux traditions se fondent quand nous mettons les Mages et les bergers devant la même crèche. L'essentiel est d'y regarder « l'Enfant et sa mère ».

Sur Marie, jetée dans le mouvement et le bruit, nous n'avons qu'une parole pour savoir comment la regarder : « Elle retenait tout ce qui se passait, le méditant dans son cœur » (Lc 1, 19).

Elle est entre la réalité si modeste — son Messie dans une mangeoire — et des proclamations grandioses : l'adoration des Mages, après l'enthousiasme des bergers : « L'ange nous a dit : je vous annonce une nouvelle qui sera une joie immense pour tout le peuple. Il vous est né un Sauveur qui est le Messie Seigneur. »

Messie Seigneur. Une fois de plus, Luc nous offre une parole ouverte. Aucun doute, c'est bien le Messie qui est annoncé, mais quand plus tard on relira l'annonce aux bergers ce ne sera pas difficile d'entendre le son divin de ce « Seigneur ».

Marie commence pourtant la longue série de ses étonnements. Le Messie, dans cette étable ? La croyante restera toujours paisible devant les faits les plus difficiles : elle les « méditera » jusqu'à ce que la lumière intérieure lui permette, non pas de tout comprendre, mais de tout vivre selon sa mission de service du Dessein.

Servir, pour le moment, c'est élever cet enfant. Il aura son visage, puisqu'elle seule lui a communiqué sa vie d'homme. Il aura ses attitudes, peut-être quelque chose de sa voix. Et — là elle tremble un peu — quelque chose de son cœur. Elle va faire son éducation juive. Elle n'a pas été choisie seulement pour porter l'enfant dans son sein, mais pour participer étroitement à l'aventure qu'elle devinera peu à peu, à force de « méditer dans son cœur » : un Messie bien plus inouï que tous les Messies auxquels pensent ceux qui l'entourent.

Après l'agitation autour de la crèche, elle va retrouver la vie ordinaire d'une maman de Nazareth. Avec Joseph elle fait le voyage de Jérusalem pour offrir l'enfant au Seigneur.

La Présentation

C'est un couple très modeste qui entre au Temple pour la présentation de l'enfant et la purification de la maman. Déjà le petit homme avait été circoncis comme tous les garçons et on lui avait donné le nom qui sera la joie de tant de lèvres :

On ne peut rien chanter de plus suave
On ne peut rien entendre de plus agréable
Nulle pensée n'est plus douce
Que Jésus Fils de Dieu

Mais pour le moment on le présente comme tous les petits juifs. C'est dire que l'Incarnation du Verbe sera une totale solidarité avec ses frères en humanité.

Avec ses frères pauvres. Joseph et Marie n'ont pu apporter au Temple que l'offrande des pauvres : deux tourterelles. Les voir ainsi avec leurs modestes tourterelles pendant que d'autres parents offraient un agneau nous frappe au cœur : comme Dieu est étranger à ce que nous appelons richesse !

Pureté de la pauvreté. Liberté du cœur et ouverture totale à Dieu. Surhumaine confiance. Une telle pauvreté révèle que le salut s'étendra à tous les hommes. Personne n'est loin de cet enfant. Il n'y a pas d'escalier d'honneur, pas de rare invitation pour l'atteindre. Jésus va être Dieu merveilleusement proche. Au Temple la puissance change de visage.

Pour le moment, elle est une fragilité que Marie confie au vieillard Syméon. L'Esprit l'a éclairé ; et en tenant l'enfant dans ses bras il dit : « Ô Maître souverain, mes yeux voient ton Salut. »

Que ce saint vieillard, sûrement inspiré, puisse proclamer que l'enfant est bien le Messie, conforte la foi de Marie. Elle entend des mots accordés à sa propre vision si large : « Ô Maître souverain, tu as préparé ton Salut pour tous les peuples. » Marie avait parlé de « Toutes les générations ». Après l'immensité de l'Histoire, voici que s'ouvre l'immensité de l'univers. De ce bébé blotti dans les bras du vieillard et qui, sans Syméon et Anne, passerait complètement inaperçu au milieu de la foule du Temple, Paul décrira aussi les prodigieuses dimensions universelles : « Il est l'image du Dieu invisible, Premier-né de toute créature. Il a plu à Dieu de faire habiter en lui toute la plénitude » (Col 1, 15-19).

Joseph et Marie, dit Luc, étaient dans l'émerveillement de ce qu'on disait de l'enfant. Mai déjà les soleils de Marie sont voilés par la tristesse : « Cet enfant, lui dit Syméon, va provoquer ou la chute ou le relèvement de beaucoup en Israël, il sera un signe contesté et cela te fera terriblement souffrir. »

Les jours tranquilles de Nazareth

Nous voici de nouveau à Nazareth. L'Évangile ne nous aide pas à imaginer la vie du petit garçon entre son père artisan et sa maman tout occupée par les tâches ménagères si fastidieuses à cette époque. Avec d'autres mamans on parlerait peut-être de corvées : corvée d'eau, corvée de bois, corvée de lessive, petits calculs pour petit budget.

Mais Marie peut transfigurer toute corvée en amour. « Il grandissait, dit Luc, et se fortifiait, se remplissant de sagesse, et la faveur de Dieu était sur lui. »

Il n'était pas « rempli de sagesse », ainsi qu'on traduit parfois en étant trop pressé de le voir parfait. Non ! Il progressait comme tout enfant des hommes, mais lui, plus que tout enfant, il se remplissait de sagesse.

On aimerait tout de même voir comment grandit Dieu. Comment il rit et il pleure, comment il s'initie aux Écritures, comment il se comporte avec ses petits camarades. Comme tous les garçons du monde ? Nous sommes tellement tentés de le voir très différent !

Marie, aide-nous à bien voir comment Jésus, en vivant à ce point « comme tout le monde », a donné de la valeur aux lenteurs de la maturation humaine. Il t'a fallu beaucoup de foi pour croire que même le Messie devait grandir de cette façon.

Les douze ans de Jésus

Un violent coup de gong alerte Marie et Joseph. Avec Jésus, qui a douze ans, ils étaient allés faire le pèlerinage annuel à Jérusalem. Au retour, ils se rendent compte qu'ils ont perdu Jésus, ce qui était assez normal dans cette cohue de pèlerins. Mais après un jour ils s'inquiètent, et après trois jours de recherche affolée, ils le découvrent enfin dans le Temple, « assis au milieu des maîtres et dialoguant avec eux ».

Luc nous dit que tous ceux qui l'entendaient « s'extasiaient sur l'intelligence de ses réponses ». Ne sautons pas là-dessus pour saluer enfin les premiers signes révélateurs de la divinité de Jésus. Ces dialogues avec des docteurs de la Loi étaient courants, comme maintenant encore pour tous les petits juifs. D'ailleurs, Marie ne s'extasie pas. Encore malade d'angoisse elle arrache immédiatement son fils à l'intéressante discussion : « Comment as-tu pu nous faire une chose pareille ? Nous te cherchions avec tant d'inquiétude. »

C'est là que surgit le Jésus que nous entendrons plus tard. Il part de ce « nous te cherchions » qui est au ras de la vie ordinaire, pour élever Marie et Joseph à des hauteurs si mystérieuses qu'ils ne pourront pas le suivre : « Vous me cherchiez ? Vous ne savez pas que je dois être auprès de mon Père ? »

« Auprès de mon Père ». Les premiers mots de Jésus. Les spécialistes se battent sur leur sens exact, et certains préfèrent : « Je dois être préoccupé par les affaires de mon Père. » Mais l'essentiel est ce premier dévoilement du lien entre le Père et le Fils que Jésus aimera tant à rappeler : « Mon Père et moi. »

La vie très lisse à Nazareth avait dû voiler en Marie les lumières des premières annonces. Quant à Joseph, il était tellement devenu le père que l'évocation d'un autre père le laissait désemparé. Luc tranche brutalement par le mot qu'il emploiera souvent pour révéler le désarroi des plus intimes devant certaines des paroles de Jésus : « Ils ne comprirent pas. »

Jésus sera toujours surpris et même agacé de constater que c'est si difficile de faire entrevoir le mystère de sa double proximité, avec le Père et avec les hommes. Peut-être vivait-il cela lui-même dans un complexe jeu d'ombres et de lumières que les théologiens, plus tard, essaieront péniblement d'expliciter à l'aide de leur double « vraiment » : vraiment Dieu et vraiment homme. Pour l'heure, l'étonnement du Jésus de douze ans devant la recherche angoissée de ses parents et l'étonnement de ses parents devant son comportement jettent une lumière crue sur la vie à Nazareth qu'on pouvait croire si idyllique, avec de longs échanges attendris et émerveillés.

Ce n'est pas le genre de ces trois silencieux, ils nous offrent une autre leçon de vie familiale : on peut vivre et aimer sans se comprendre parfaitement. C'est avec cette neuve distance entre elle et son fils que Marie reprend la route de Nazareth. Mais il redevient l'enfant docile, et dans la méditation elle cherche à unir « ces choses » qui marqueront toute sa vie : l'extraordinaire au cœur de l'ordinaire.

Faites tout ce qu'il vous dira

Dix-huit années passent silencieusement. L'épisode de Jésus au Temple n'a été qu'un éclair dans la monotonie des jours. L'Évangile ne dit rien, n'inventons rien. Du moins pour le moment.

Soudain, Marie apprend que le petit cousin Jean, devenu Jean le Baptiste, remue les foules dans la région du

Jourdain. Quand on dit qu'il annonce le Messie, Marie pressent le dégel de la vie tranquille.

Les nouvelles, maintenant, se bousculent. La première a de quoi l'étonner : Jésus est allé rejoindre Jean et il s'est fait baptiser par lui !

Dans la maison si vide depuis qu'il n'est plus là, Marie continue à méditer, demandant à l'Esprit d'être bien ce qu'elle doit être : ardemment attentive mais ne gênant jamais son fils quels que soient ses mystérieux comportements de Messie.

Elle apprend qu'il a choisi des disciples. Quand il revient avec eux, elle fait leur connaissance. Ils sont tous invités à des noces dans un petit bourg, Cana, très proche de Nazareth.

Pour bien comprendre l'histoire du vin qui va manquer, il faut penser à la fantastique consommation de vin (en araméen, les noces s'appelaient « beuveries »[2]). Les noces duraient une semaine, et chaque jour des gens pouvaient arriver à l'improviste, ce qui fut peut-être le cas de Jésus accompagné de toute sa bande de cousins et de disciples. Amicalement attentive, Marie s'est rendu compte qu'il y avait des conciliabules embarrassés entre le marié et l'organisateur des noces. Renseignée, elle mesure la honte du jeune couple : on racontera longtemps qu'à leurs noces le vin a manqué ! Elle va auprès de Jésus. Les cinq mots qu'elle dit nous donnent une idée de leurs échanges habituels, sans longues explications, tellement ils étaient unis : « Ils n'ont pas de vin. »

---

2. François-Marie Braun, dans *la Sainte Bible* de Pirot et Clamer, volume X.

La réponse de Jésus ne se comprend que si l'on quitte le contexte historique pour entrer avec l'Évangile de Jean (2, 3-5) dans un contexte théologique. On a alors deux mots clés : « femme » et « heure », dans une phrase choc [3] : « Femme, quoi de toi à moi ? Je pense à bien autre chose ! Mon heure n'est pas encore venue. » Il dira « femme » aussi en s'adressant à Marie du haut de la croix. Loin d'être distant ou même irrespectueux, Jésus insère Marie dans sa destinée messianique, son « heure ».

Marie réagit admirablement, « Faites ce qu'il vous dira », conseille-t-elle aux serveurs. Une lumière douce envahit la longue nuit de Nazareth.

Marie, quelle communion vivais-tu avec Jésus pour être si sûre d'être exaucée alors que c'est ton premier appel à sa puissance ? Je veux centrer toute ma confiance en toi sur la tranquille certitude de ton « Faites ce qu'il vous dira ». Je te dirai ce qu'il me manque, je sais que tu me comprendras bien, tu intercéderas pour moi et tu te retireras en me laissant à l'écoute : « Fais ce qu'il va te dire. »

Le début de l'épisode de Cana et sa fin nous éclairent sur le rôle de Marie en le cadrant très exactement.

Début : « La mère de Jésus était là. » Présence de Marie avec les deux noms qui disent l'importance de cette présence : « Mère de Jésus », et plus loin « femme », pour marquer qu'elle n'est pas une simple maman, mais celle qui participe à la mission de salut. Elle est là au début des signes qui vont faire naître la foi en Jésus et donc la vie. C'est elle qui provoque le premier signe, et cela dit sa

---

3. C'est le clair commentaire de Jean-Paul Michaud dans l'excellent *Cahiers Évangile* n° 77, « Marie des Évangiles », dont je m'inspire beaucoup pour ce premier regard sur Marie.

douce puissance sur Jésus. « Tel fut le premier miracle de Jésus, et ses disciples crurent en lui. » Marie, aide-moi à bien comprendre les signes de Jésus pour croire plus fortement en lui.

Fin : « Faites ce qu'il vous dira. » Croire n'est rien si nous ne vivons pas selon notre foi. Regarder Marie, surtout dans un moment difficile, c'est vouloir réentendre la parole qui nous remettra dans la réelle volonté de faire ce que Jésus attend de nous : « Ne te laisse pas aller à tes impulsions, essaie de voir, par l'Évangile et par l'oraison, ce que Jésus veut te dire en ce moment. »

Marie la discrète

« Tous avaient les yeux fixés sur lui. » On peut imaginer de quel regard Marie fixe Jésus quand, pour la première fois, il prêche dans la synagogue de Nazareth. Nazareth où, rappelle Luc, il avait été élevé. Comme tous, dans la synagogue, Marie se demande ce que va dire le grand silencieux. Elle sait qu'il est déjà célèbre, mais pour elle et pour les gens du pays le suspense est grand.

Déjà le texte qu'il lit la frappe, c'est un texte messianique d'Isaïe : « L'Esprit du Seigneur est sur moi. »

Elle connaît bien ce texte, et là elle devient sûre qu'il parle de son fils. « Le Seigneur m'a consacré par l'onction, il m'a envoyé porter la bonne nouvelle aux pauvres… »

Les assistants connaissent aussi ces paroles d'espoir qui hantent tous les juifs. Mais voici le coup de tonnerre que pressentait Marie : « Aujourd'hui, ce que vous venez d'entendre s'accomplit. »

Marie, tu regardes Jésus. Tu te revois trente ans plus tôt quand l'ange te disait : « Il sera grand, il régnera pour toujours. » Le règne du Messie va commencer.

Mais après un moment d'admiration, les gens de Nazareth se secouent : « Ce soi-disant prophète c'est le fils de Joseph ! » Atterrée, Marie voit que Jésus réagit durement, soulevant la colère de ses auditeurs qui s'emparent de lui et le traînent jusqu'à un escarpement dangereux. Mais il se dégage et s'en va. Nazareth c'est fini !

Pour Marie commence une vie de bonheurs et d'angoisses. On lui raconte les miracles de Jésus, on lui redit ses enseignements si clairs mais si exigeants. Elles sait que des foules enthousiastes l'enserrent à l'étouffer. Il mène, dit-on, une vie de fou, ne trouvant plus le temps de manger et de dormir. Et parmi les autorités il ne cesse de se faire des ennemis. Quand on parle de tout cela dans le clan familial, le ton monte : « Ça ne peut plus durer, il faut le ramener ici. »

Ils ont entraîné Marie jusqu'à la maison de Capharnaüm, pleine à craquer. On fait dire à Jésus : « Ta mère et tes frères[4] sont là, ils te cherchent. » Marie s'attend-elle à voir surgir son fils qui se précipitera vers elle ? Ce ne serait pas le Jésus qu'elle connaît si bien.

Mécontente, la parenté écoute le messager qui transmet la réponse de Jésus : « Qui est ma mère ? Qui sont mes frères ? »

Il a fixé ceux qui étaient assis autour de lui, explique l'intermédiaire un peu gêné, et il a dit : « Voici ma mère et les frères. Ceux qui écoutent la parole de Dieu et la mettent en pratique, ceux-là sont ma mère et mes frères. »

---

4. Sur ce mot « frères », voir p. 39.

Marie, es-tu blessée ? Déconcertée ? Non, je suis sûr que tu as dû te dire : « C'est bien lui ! » Tu devines sa pensée, si affectueusement ferme : « Ma mère a toujours été deux fois ma mère, celle qui m'a porté et allaité, mais aussi celle qui est la plus proche de moi par son écoute et par sa pratique de la Parole. »

Nous savons bien que c'est très difficile pour une mère d'être étroitement mêlée aux responsabilités de son fils tout en restant infiniment discrète. Mais Jésus n'aurait pas pu t'associer à son œuvre si tu n'avais pas su t'engager fortement sans jamais sortir d'une nécessaire réserve.

Au pied de la croix

Nous ne retrouvons Marie des Évangiles qu'à la mort de Jésus. Jean nous donne d'elle deux images à contempler : regarder la femme forte et regarder notre mère.

Près de la croix, dit l'évangéliste, Marie se tenait debout : *Stabat Mater.* Elle aurait pu s'affaisser et s'accrocher à Jean ou à Madeleine, comme des peintres nous ont habitués à la voir, mais la vraie Marie de l'Évangile est restée droite, modèle de force dans la souffrance.

Comment allons-nous la regarder ? En imaginant sa souffrance et en essayant de la partager ? Ce serait lâcher l'Évangile. Jean ne veut pas nous maintenir dans l'émotion, il veux nous révéler un mystère : la maternité universelle de Marie.

À bien scruter le texte on y voit un schéma de révélation caractérisé par un regard et des paroles à longue résonance. « Voyant la mère et le disciple qu'il aimait, Jésus dit à la mère : Femme, voici ton fils [5]. »

5. *Une année de grâce avec Marie,* par René Laurentin (Fayard), p. 61.

Ce « la » mère et ce « femme » élargissent notre regard sur une scène qui, plus qu'un épisode de piété filiale, est une discrète invitation à scruter ce qui était en germe dès que Marie a été la mère de Jésus : elle portait déjà le Christ « total » : tous les hommes qui doivent former un jour le corps mystique de Jésus.

Les prédicateurs se sont parfois apitoyés sur ce qu'ils appelaient « un misérable échange » : Jean prenant la place de Jésus. En réalité, Marie reçoit la consécration d'un immense rôle maternel qui va l'unir de plus en plus à l'œuvre de son fils.

Jean ajoute que depuis cette heure « le disciple la prit chez lui ». Quand je lis ces mots, Marie, j'ai envie d'ouvrir beaucoup plus ma vie à ta présence.

Marie était là

Après l'Ascension, le premier groupe qui forme l'Église naissante s'en va faire dans une « chambre haute » de Jérusalem (probablement le Cénacle) sa retraite préparatoire à la venue de l'Esprit. Ils prient en pensant aux paroles de Jésus : « Vous allez recevoir une puissance, celle du Saint-Esprit qui viendra sur vous » (Ac 1, 8).

Marie est là. Comment ne penserait-elle pas aux mêmes paroles qui résonnèrent pour elle ? « La Puissance viendra sur toi. » Une autre naissance se prépare, celle de l'Église.

Bien que légèrement détachée des autres femmes, la mention de Marie paraît trop modeste dans la liste des noms de ce groupe initial, les apôtres, des femmes et des cousins de Jésus. Mais l'essentiel c'est que Marie soit là.

Après l'aventure du Verbe se faisant chair en elle, commence l'aventure du Verbe prenant chair dans le monde : « Vous serez mes témoins jusqu'aux extrémités de la terre » (Ac 1, 8).

En te regardant, Marie, dans ce groupe qui va lancer le christianisme, je vois mieux comment tu es si étroitement associée à toute l'œuvre du salut, depuis l'Annonciation jusqu'à la Parousie. Tu es là, à ta place.

Deuxième regard

La disponibilité de Marie

Grâce à Karl Rahner[1], je crois avoir fait un pas décisif en passant de « virginité » à « disponibilité ». Désormais, je regarde obstinément les questions qui concernent la virginité de Marie dans la lumière de l'offrande de tout son être à Jésus : « Il n'y aura que toi dans ma vie. »

Elle n'est donc pas le modèle d'une pureté physique scrupuleusement défendue pour elle-même, mais le modèle d'un corps joyeusement offert dans le sillage de l'offrande du cœur et de l'esprit : « Rien que toi ».

Et Joseph ? Il a suivi l'élan de Marie dans sa donation totale à Jésus. J'avoue que c'est un film qui m'a aidé à comprendre Joseph : le *Je vous salue Marie* de Godard. Une scène extraordinaire le montre en train d'avancer sa

1. *Marie, mère du Seigneur* (L'Orante).

main vers le ventre arrondi de Marie. Il lui demande : « Est-ce ça aimer ? » Elle lui répond doucement : « Non ». Deuxième avancée, deuxième non. La troisième avancée est infiniment retenue et Marie peut répondre en souriant : « Oui ». Joseph sait maintenant comment ils devront s'aimer dans le tumulte de leur amour de jeune couple mais dans la maîtrise de leurs corps.

« C'est ridicule ! »

– Pourquoi ? me demande une jeune. C'est ridicule. C'est vexant pour la beauté de cet amour total, tendre et charnel dont vous parlez si bien, vous les prêtres, quand vous bénissez un mariage. Oui et non, Marie et Joseph étaient-ils un couple comme les autres ?

Non. Parce qu'ils étaient le couple unique à qui Dieu avait confié une mission absolument unique. À leur place différente mais bien ensemble ils sont le modèle d'une totale consécration à Jésus.

Ils ne pouvaient pas donner à Jésus des frères et des sœurs qui leur auraient apporté d'autres soucis que Jésus tout en constituant une famille limitée, alors qu'ils étaient voués à la famille universelle de tous les enfants de Dieu. « Mes frères, dira Jésus, ce sont ceux qui font la volonté de mon Père » (Mt 12, 50).

À l'Annonciation, Marie comprend immédiatement que sa vie, désormais, sera un oui à la volonté de Dieu par le service de Jésus : « Je suis la servante. »

En cela elle est le modèle de tous les consacrés, ces hommes et ces femmes qui ont compris leur vœu de célibat comme une totale disponibilité : mon corps pour toi,

Jésus, pour que je puisse toujours te donner entièrement mon cœur et mes forces.

Marie et Joseph sont aussi le modèle de tous les chrétiens qui acceptent que leur vie soit « une constante remise de soi à la disposition de Dieu ». C'est la formulation très éclairante de Karl Rahner. Pour lui, il ne s'agit pas du tout de déprécier la mariage, mais de s'ouvrir inconditionnellement à la volonté de Dieu. Marie et Joseph sont le modèle de ceux qui attendent de Dieu seul l'essentiel[2].

Je suis très tenté d'employer ici la notion de symbole, pourvu qu'on n'oppose pas symbolique à réel. Je dirais donc que la virginité physique totale, bien réelle, de Marie symbolise et donc signifie très profondément sa disponibilité totale à l'extraordinaire mission de sa maternité.

Comment est né *exactement* Jésus, nous ne le saurons jamais. Comment Marie et Joseph on vécu *exactement* leur amour sans relations charnelles, nous ne le saurons jamais. Mais nous pouvons comprendre que leur vie personnelle et leur vie de couple n'avaient qu'un soleil : « Tout pour lui ». Ce « tout » était si dévorant que nous avons du mal à l'imaginer et même à l'accepter car c'est une situation sans comparaison possible.

Pourtant, nous savons un peu comment ils ont répondu, corps et âme, à ce que Dieu attendait d'eux. Nous le savons par l'Écriture et la tradition de l'Église que nous pourrons peut-être mieux aborder dans la lumière de la virginité-disponibilité.

Nous suivrons les étapes traditionnelles : la virginité de Marie avant la naissance de Jésus, la virginité pendant la

2. *Marie, mère du Seigneur.*

conception et pendant l'enfantement, la virginité après la naissance de Jésus.

La conception virginale

La virginité de Marie avant la naissance de Jésus ne gêne personne. Il faut seulement veiller à ne pas confondre conception virginale et immaculée conception.

L'immaculée conception, sur laquelle nous reviendrons, est un fait absolument unique : Marie a été préservée du péché originel.

La conception virginale est le fait que Jésus ait été conçu dans le sein de Marie sans qu'elle ait eu de relation sexuelle avec Joseph. Elle ne s'attendait évidemment pas à ce que cela se passe sans Joseph ! Mais dès qu'elle comprend, elle accepte la virginité comme élément singulier d'une maternité tout à fait unique.

Voilà donc les deux questions à débattre : une conception inouïe, sans Joseph, et ensuite une vie conjugale très particulière, sans relations sexuelles.

Deux textes nous disent d'où l'Église tire son enseignement sur la conception virginale de Jésus : « Marie était accordée en mariage à Joseph ; or, avant qu'ils aient habité ensemble elle se trouva enceinte par le fait de l'Esprit Saint » (Mt 1, 18).

Le mariage était suivi d'une période (six mois à un an, selon la jeunesse de la fiancée) pendant laquelle les époux vivaient séparés, chacun dans sa maison paternelle. On comprend donc que, épouse de Joseph, Marie ait pu encore dire : « Je suis vierge. »

Le deuxième texte c'est justement à la fois la question très précise de Marie : « Comment ce que tu me dis va-t-il se faire ? », et la réponse de l'ange : « L'Esprit Saint viendra sur toi, et la puissance du Très-Haut te couvrira de son ombre » (Lc 1, 35).

Mystérieuse parole, bien sûr, mais claire et pleine de pudeur. Une telle révélation vole très haut au-dessus des railleries sur « ce pauvre Joseph » et des laborieuses élucubrations sur l'hymen de Marie et sa parthénogenèse avec ou sans douleurs. La question n'est vraiment pas là. L'admirable « elle se trouva enceinte » nous invite à la contemplation plutôt qu'à une curiosité qui nous déporterait bien loin du mystère.

Nous assistons à la création d'un nouveau monde, le monde qui sera habité par Dieu dans une proximité bouleversante. On pense inévitablement à l'autre création que sera la résurrection de Jésus, exprimée avec la même gaucherie pour dire l'inexprimable : « Jésus vint, et il était là » (Jn 20, 19).

La conception virginale n'est pas un miracle, au sens où l'on resterait dans l'extraordinaire de l'ordinaire. Nous ne sommes pas dans l'ordinaire mais dans une pure initiative divine qui est du même ordre que la création, la résurrection et l'eucharistie.

La biologie, ici, obéit à l'intention de Dieu « à qui rien n'est impossible » (Lc 1, 37), et plus nous cherchons des explications, plus nous perdons la réalité, c'est-à-dire le fait qu'il se passe un événement fondateur : Dieu arrive chez les hommes, par Marie qui va lui tisser une nature humaine, humanisant sa nature divine. D'où une relation tout à fait unique entre Jésus et Marie. Ne nous lassons pas d'entendre répéter « unique » si nous voulons admettre pleinement une génération qui est au-delà de la nature mais selon la nature[3]. Marie a bien mis au monde un homme, mais Fils de Dieu. La conception virginale est à la fois le signe et le moyen d'une incarnation divine qui ne soit pas une simple adoption. Si Jésus était né de Marie et de Joseph, il aurait été homme tout d'abord et ne serait devenu Dieu que par adoption. Même quasi instantanée, cette adoption aurait fait de l'affirmation « le Verbe s'est fait chair » le second temps de l'incarnation, et aurait donné à Jésus deux pères.

J'essaie d'accueillir le mystère. Non, Jésus n'a jamais eu deux pères, il a été immédiatement à la fois vrai homme et vrai Fils de Dieu. En acceptant qu'il y ait mystère et miracle, je renonce à ausculter l'action créatrice de Dieu. Il a donné à Marie un enfant sans père humain. Vais-je dire, moi, à Dieu : « C'est impossible » ?

---

3. René Laurentin, *op. cit.*

Troisième regard

Marie et Joseph

Et voici l'affirmation qui est actuellement la plus refusée : la virginité de Marie *après* la naissance de Jésus.

Pour cette troisième étape au sujet de la virginité de Marie, nous quittons l'Écriture et nous essaierons d'écouter l'Église. Dans les discussions assez vives que j'ai eues à ce sujet, j'ai été surpris par un phénomène de tri par rapport à l'enseignement de l'Église. Je pense que cela remonte à l'immense déception provoquée par *Humanae vitae.* Des couples chrétiens, même très fervents, ont pris l'habitude de se dire : « Là je marche, là je ne marche pas. »

Pour ce qui concerne Marie et Joseph, le rejet de la position de l'Église sur leur virginité constitue le même phénomène de tri : on accepte avec enthousiasme le *Catéchisme des évêques de France* quand il titre « La sexualité, une bénédiction » (595), mais on refuse un autre titre

« Marie toujours vierge » (348). Dans l'esprit de la tendance égalitaire on ne peut que penser : si la sexualité conjugale est une telle richesse d'amour, pourquoi la refuser à Marie et Joseph ?

La virginité d'un oui

Quand j'évoquais cette question on me disait : « Tu vas heurter les couples les plus croyants. Quant aux autres, ils se moqueront de ta naïve incompétence. »

Mais plus je travaillais ce livre, plus je voyais qu'il s'agit d'un regard capital sur le oui de Marie. Elle a été vierge par son adhésion totale à une mission unique. Nous sommes tous appelés à la virginité d'un oui. Marie et Joseph ne sont pas le modèle de nos oui si différents, mais on peut toujours leur demander l'esprit virginal du oui, c'est-à-dire la totale disponibilité. C'est pour cela que les questions sur leur virginité unique éclairent tout état de vie.

Sans avoir de base scripturaire, la virginité après l'enfantement a une base traditionnelle très ancienne et unanime qui doit nous faire réfléchir, que nous soyons pour ou contre, en mesurant bien ce contre face par exemple à une récente formulation de l'Église, celle du *Catéchisme pour adultes des évêques de France* (n° 348).

Marie « toujours vierge »

La conception virginale de Jésus signifie son origine à la fois divine et humaine. Jésus a Dieu seul pour Père. Mais la foi de l'Église a scruté le rapport entre maternité et virginité de Marie. Elle a vu dans cette virginité le signe de la consécration absolue de la Mère au Fils, le signe de la disponibilité totale de Marie à l'œuvre de Dieu.

Aussi la foi chrétienne a-t-elle reconnu en Marie celle qui est toujours vierge, la Vierge par excellence. Elle tient que la naissance de Jésus n'a pas porté atteinte à la virginité de sa mère et que Marie est restée vierge pendant toute sa vie dans une fidélité totale.

Les « frères » de Jésus

Quelle est l'ancienneté de la tradition au sujet de la virginité après l'enfantement ? Elle est évoquée, entre autres, dans le *Credo* de saint Épiphane en 314[1], par la formule « *semper virgo* », toujours vierge, qu'on trouvait encore, il n'y a pas si longtemps, dans notre Je confesse à Dieu, où l'on disait, semble-t-il sans complexe : « Je confesse à Marie toujours vierge... »

Dès 240, Origène écrivait dans son commentaire sur saint Jean : « De l'avis de ceux qui réfléchissent sur elle sainement, Marie n'a pas eu d'autre fils que Jésus. »

C'est quand même l'objection la plus forte qui fut toujours dressée contre la virginité de Marie après l'enfantement de Jésus : elle lui aurait donné des frères et des sœurs cités dans les Évangiles. Saint Jérôme réfuta vigoureusement Helvédius qui proposait Marie comme modèle des mères de famille nombreuse. Il faut dire que si on ajoute à Jésus les quatre frères dont on parle, plus au moins deux sœurs, cela faisait en effet une sainte famille nombreuse, qu'aucun peintre d'ailleurs n'a jamais représentée, et donc qu'aucune paroisse n'a commandée, signe d'intuition populaire au sujet de ces fameux frères et sœurs.

1. Au début du christianisme on a été très discret sur Marie, par crainte des possibles dérives vers les déesses gréco-romaines.

Autre argument : si Marie avait eu d'autres fils, jamais Jésus ne l'aurait confiée à Jean. Même très ami, il ne faisait pas partie de la famille qui à cette époque prenait grand soin d'une veuve.

Mais venons-en au texte de Matthieu (13, 55) : « Celui-ci n'est-il pas le fils du charpentier ? Sa mère ne s'appelle-t-elle pas Marie et ses frères Jacques, Joseph, Simon et Jude, et ses sœurs ne sont-elles pas toutes parmi nous ? » (texte parallèle dans Mc 6, 3).

Quand Matthieu et Marc décrivent la crucifixion de Jésus, ils parlent d'une autre Marie, qui est la mère de deux des prétendus frères de Jésus : Jacques et Joseph. Cette Marie est désignée par Jean (19, 25) comme la sœur de la Sainte Vierge. Ses fils seraient donc les cousins germains de Jésus.

Alors, pourquoi les appeler frères ? Grande querelle chez les exégètes sur l'emploi de frères pour parler des cousins. Oui, répliquent les autres, mais les évangélistes ont gardé l'usage araméen d'appeler « frères » des parents proches vivant plus ou moins ensemble. Sur ce terrain linguistique il y a, semble-t-il, match nul pour longtemps.

Faut-il s'attarder à d'autres arguments contre l'affirmation de la virginité de Marie ? Par exemple la mention de Jésus comme fils premier-né (Lc 2, 7). La réponse est facile. Luc écrit cela en pensant à la Loi : « Tout fils premier-né sera consacré au Seigneur. » Ce terme courant n'impliquait pas qu'il y ait d'autres enfants. Autre objection, la phrase de Matthieu (1, 25) : « Joseph prit chez lui son épouse mais il ne la connut pas jusqu'à ce qu'elle eût enfanté Jésus. » Matthieu veut simplement souligner que Marie était vierge quand Jésus est né. Quand une maman dit à ses enfants : « Soyez sages jusqu'à ce que je revienne », elle ne pense pas : « Après, vous pourrez être désobéissants.[2] »

---

2. *Pour comprendre la Vierge Marie*, Jacques Bur, p. 53 (Cerf).

Quelle a été leur vie de couple ?

Les nécessaires clarifications ne peuvent écarter le problème de fond, celui qui agace ou même blesse les couples chrétiens. Si Marie et Joseph, disent-ils, n'ont pas eu de relations sexuelles, quelle a été leur vie de couple ? Si vraiment ils ont été exemplaires, que vaut notre propre vie de couple qui unit la tendresse, l'amitié et le charnel ?

Ne retrouve-t-on pas ici la tendance nivelante qui ramène le mariage de Marie et de Joseph à du normal alors qu'ils sont hors normes ? Il n'y a eu qu'un couple à qui fut confié le Fils de Dieu ! Est-ce que cela exigeait le sacrifice de la relation sexuelle ? L'Église le pense quand elle répète depuis des siècles « Marie toujours vierge ».

Cette méditation m'a fait creuser l'idée de tradition. On est loin du caprice, de l'autoritarisme ou de la crispation sur l'histoire. Ce n'est pas uniquement parce qu'on a toujours fait quelque chose depuis deux mille ans que la pratique ou la pensée doivent rester immuables. Très importante, l'ancienneté doit s'ajouter à d'autres critères de valeur. À l'écoute de l'Esprit, des Pères et du peuple chrétien, la tradition catholique a toujours médité l'Écriture pour en livrer le message jusqu'à nous par manière de mémoire vivante, et donc à la fois fidèle et neuve.

Je fais ce détour pour expliquer ma propre adhésion au « *semper virgo* ». Pour moi, la tradition est confortée par l'expérience des couples eux-mêmes que j'ai pu connaître en m'occupant de la rubrique « couples » dans *Panorama*. La diversité des situations est telle qu'à côté des couples qui accordent une grande importance à leur vie sexuelle, certains accentuent l'amitié et la tendresse. J'ai vu des cas où des couples, même jeunes, étaient obligés, pour diverses raisons, de tout bâtir sur la tendresse.

Je pense alors à la tendresse qui unissait Marie et Joseph. Depuis longtemps, on ne voit plus Joseph en vieillard. Il était jeune et beau, Marie était jeune et belle. Que la continence leur ait été facile c'est leur secret, mais en cela ils sont modèles pour certains couples. « Marie, dit Jean Guitton, virginise Joseph comme elle virginise tant de jeunes hommes et la race sacerdotale, la race religieuse, mystère de virginité virile. »

Joseph a accueilli pleinement la vocation de Marie qui la consacrait totalement à Jésus. Et Marie a dû aimer le don total de Joseph à l'Enfant. Dans les premiers mots de Jésus il y a eu « papa » et Joseph le méritait vraiment : il a été responsable du Fils de Dieu, c'est quelque chose ! Tous les pères devraient le prier et apprendre de lui à regarder leur petit comme Joseph regarde Jésus dans les tableaux de Georges de La Tour.

Ô Joseph, tu as connu, comme Marie, la plus comblante et la plus vierge disponibilité. Je te confie les couples qui ayant des problèmes de vie sexuelle sont tentés de penser : s'il n'y a plus ça, il n'y a plus d'amour. Si ! Il y a des terres de tendresse peut-être encore inexplorées. Et toutes les choses à faire ensemble où l'on découvre que la vie conjugale est un riche lieu de l'amitié. J'ai compris cela en voyant une très vieille épouse aider son mari à vivre ses derniers jours. « Nous vieillirons ensemble » est une des plus belles expressions de l'amour conjugal.

Joseph, je te confie aussi les papas. La relation père-fils n'est pas la plus facile, il faut tout faire pour ne pas gâcher cette si délicate composante de la condition humaine. « On aurait pu mieux se comprendre », murmurent parfois des fils[3].

---

3. Un livre essaie, avec une infinie délicatesse, d'imaginer les relations entre Marie et Joseph. Fiction, bien sûr, mais éclairante approche de la vocation de Joseph : *Le charpentier* par Olivier Le Gendre (éd. Anne Sigier).

Quatrième regard

Marie des dogmes

Il y a dogme quand l'Église (concile ou pape), pour clarifier les idées et stopper une erreur, définit un aspect de la Révélation mis en question.

On aime de moins en moins le mot et la chose. L'adjectif « dogmatique » est même devenu péjoratif. Mais refuser le côté prison du dogmatisme ne doit pas nous voiler la valeur des dogmes. Ils donnent à notre foi de la fermeté et de la clarté.

Ce qu'on peut aimer dans la formulation dogmatique, c'est sa précision. On sait de quoi on parle, et à partir de là on peut discuter utilement. Un jeune théologien québécois présente ainsi la fonction « clarté » des dogmes :

Les dogmes sont une explicitation du contenu de la Révélation. Ils relèvent de l'explication. S'ils ne sont pas premiers – car ils sont au service du donné révélé –, ils appartien-

nent à cet effort de compréhension qui est inhérent à la foi. Les dogmes témoignent du fait que des questions importantes se sont posées, et ils entendent donner les orientations à l'intérieur desquelles la recherche croyante devrait se situer. On veut comprendre, on veut approfondir, on veut rendre compte du « contenu » de sa foi. On l'a dit : « La foi n'est pas un cri. » Ce que l'on croit peut se dire, se donner à comprendre, à partager. Voilà ce que les dogmes se proposent de faire[1].

Quel est l'univers dogmatique autour de Marie ? Il y a un premier ensemble de trois dogmes, ancien et très biblique : Marie est mère de Dieu, vierge et sainte. Plus récents, les deux dogmes de l'Immaculée-Conception et de l'Assomption.

Marie, mère de Dieu

Pauvre Nestorius ! Ce très digne patriarche de Constantinople des débuts du Vᵉ siècle n'arrivait pas à digérer un titre pourtant déjà ancien (IIIᵉ siècle) donné à Marie : *Théotokos.* Littéralement : celle qui accouche *(tokos)* de Dieu *(théo).*

Il y a sûrement de quoi hésiter, mais avant d'être un problème marial, c'est un problème christologique puisqu'il s'agit de l'unité du Christ, homme et Dieu en une seule personne.

Dans son Prologue, Jean affirme une chose scandaleuse : « Le Verbe s'est fait chair, Dieu est devenu un homme. » Dieu avait-il sombré dans notre chair, dans notre vie ? Ou notre chair avait-elle été submergée par la vie divine ?

1. Jean-Pierre Prévost, dans *La mère de Jésus*, p. 80.

Nestorius s'en était sorti en optant pour une simple cohabitation : en Jésus, pensait-il, il y avait deux personnes juxtaposées, une personne humaine et une personne divine. Du coup, l'énormité d'une femme qui enfante Dieu devenait plus acceptable : Marie avait mis au monde la partie humaine de Jésus.

Mais c'est là que la question devient tout à fait christologique car, à force de discuter, les évêques théologiens des IVe et Ve siècles ont refusé l'idée de juxtaposition en Jésus de la divinité et de l'humanité. Ils ont proclamé l'union, certes mystérieuse mais très forte, entre ces deux réalités, ces deux natures.

Il y a un seul Jésus, pas un Jésus Dieu et un Jésus homme. C'est le même Christ, le Verbe, le Fils de Dieu et Jésus de Nazareth qui est à la fois vrai Dieu et vrai homme. Le concile de Chalcédoine (451) a exprimé ce mystère en des formules qui peuvent justifier notre admiration et notre reconnaissance pour l'effort dogmatique :

Nous enseignons un seul et même Fils, notre Seigneur Jésus Christ, parfait en divinité et parfait en humanité, vraiment Dieu et vraiment homme, consubstantiel au Père selon la divinité, consubstantiel à nous selon l'humanité. Avant les siècles engendré du Père selon la divinité, et né ces derniers jours de Marie, la Vierge, mère de Dieu selon l'humanité. Un seul et même Christ Seigneur, Fils unique, que nous devons reconnaître en deux natures, sans confusion, sans changement, sans division, sans séparation. La différence des natures n'est nullement supprimée par leur union, mais plutôt les propriétés de chacune sont sauvegardées et réunies en une seule personne.

Des mots, des répétitions ? Bien sûr, on rôde autour du mystère, mais on voit où l'on peut s'égarer. On s'approche très près de Nestorius : « *Engendré du Père selon la divinité, né de Marie selon l'humanité* ». Mais l'acharnement à répéter que Jésus est une seule personne nous fait comprendre que Marie, tout en se tenant du côté de l'humanité de Jésus, est bien la mère de toute sa personne, et donc aussi de ce qui est divin en Jésus. Parce que, dit encore le concile, « *on ne peut pas partager ni diviser Jésus en deux personnes* ».

Vingt ans avant Chalcédoine, le concile d'Éphèse avait adopté le titre de *Théotokos* pour Marie, et certains en font un concile « marial ». Mais directement, on a mené à Éphèse comme à Chalcédoine une bataille pour sauvegarder l'unité du Christ, et cela a rejailli sur ce qu'on appellera ensuite « la maternité divine de Marie ». Quand on touche au titre de Mère de Dieu on touche au mystère même de l'Incarnation, mystère de Dieu qui s'est fait homme dans le sein de Marie.

Revivre ces longs débats redonne à notre *Je vous salue Marie* une magnificence que le chapelet a peut-être voilée. En finissant cette méditation « dogmatique », je redis bien plus lentement « Sainte Marie, Mère de Dieu ».

L'Immaculée Conception

Quand le 25 mars 1858, Bernadette Soubirous arriva tout essoufflée chez son terrible curé, l'abbé Peyramale, elle lui jeta, sans même le saluer, les cinq mots qu'elle répétait depuis la grotte de Lourdes : « Que soy era Immaculada Counception. » Sur l'ordre de l'abbé, elle avait demandé plusieurs fois à Aquéra (le nom qu'elle donnait à l'apparition) : « S'il vous plaît, dites-moi qui vous êtes ! » Chaque fois, l'apparition souriait gentiment sans répondre.

Le 25 mars, raconte Bernadette, « à ma quatrième demande elle me dit en patois qu'elle était l'Immaculée Conception. Ce furent ses dernières paroles. Elle avait les yeux bleus. »

Je tire cela d'une plaquette de René Laurentin : *Message de Lourdes* (Bayard Presse), où il décrit le choc du curé de Lourdes. Quatre ans plus tôt, Pie IX avait proclamé le dogme : « Au premier instant de sa conception, par la grâce et le privilège de Dieu et en considération des mérites de Jésus Christ, la Vierge Marie fut préservée intacte de toute souillure du péché originel. »

Mais, commente René Laurentin, Marie pouvait-elle dire à Bernadette : « Je suis l'Immaculée Conception » ? On peut être immaculée, mais on ne peut pas être une conception. Peu à peu on comprendra qu'il s'agit d'un superlatif poétique, « comme on dit de la neige qu'elle est la blancheur même ».

Nous avons bien besoin d'un peu de poésie au moment d'affronter cette infection originelle qui n'a tout de même pas pu contaminer Marie. Mais se hâte de préciser le *Catéchisme pour adultes des évêques de France* (349),

Marie n'a pas échappé au besoin de rédemption, qui concerne toute la famille humaine. Elle appartient pleinement au peuple des rachetés, elle est la première rachetée. Par rapport à la Rédemption, elle est du même côté que nous. Comme nous tous, elle a été libérée du péché et sauvée par le Christ. Mais la grâce de Dieu la précède de façon unique, le salut lui vient déjà, « dès le premier instant de sa conception », par anticipation, de la mort et de la résurrection de son Fils. Le salut prend chez elle, non la forme de la guérison ou de la purification, mais celle de la préservation.

Pour arriver à cette limpidité et à cette concision, il a fallu d'interminables discussions, parfois très orageuses. Saint Bernard et saint Thomas d'Aquin, même fervents de Marie, étaient plus encore des champions du Christ sauveur de tous, c'est-à-dire sauveur aussi de Marie. C'est contre ce tous qu'on buta jusqu'au triomphal *eurêka* de Duns Scot[2] : l'anticipation !

Oui, « Marie a bien été sauvée comme nous tous, mais par anticipation ». Elle a donc été rachetée de la manière la plus parfaite.

En affirmant la sainteté originelle de Marie, Rome et les théologiens n'ont pas du tout forcé la main du peuple chrétien. Depuis longtemps il fêtait tranquillement l'Immaculée Conception. Cette fête, dit Jacques Bur, implantée presque universellement au XIVe siècle, remontait en fait au VIIe, et elle devint fête d'obligation en 1708, bien avant la proclamation du dogme. C'est le moment de rappeler le si beau cantique *Tota pulchra es* (XIXe siècle) : « Vous êtes toute belle, Ô Marie, et il n'y a pas de tache en vous. »

Le remarquable ouvrage de catéchèse intitulé *La foi des catholiques*[3] réfléchit sur ce qu'il appelle « le flair spirituel du peuple fidèle » :

La hiérarchie, pour les deux dernières définitions dogmatiques dans l'Église catholique, concernant l'une l'Immaculée Conception de Marie en 1854, et l'autre l'Assomption en 1950, s'est fortement appuyée sur ce sens de la foi qui habite le peuple chrétien et le poussait depuis longtemps à vénérer ces deux « mystères » de la vie de Marie.

---

2. Célèbre théologien franciscain, appelé le « docteur subtil » (1266-1308).
3. Centurion, 1984.

Mais comment faire coïncider le courant d'une fine et joyeuse piété populaire avec les batailles ennuyeuses et hargneuses entre maculistes et immaculistes autour de la fameuse tache originelle ?

Le vocabulaire négatif de tache et de préservation fausse d'emblée la vision de la printanière irruption de grâce en Marie qui caractérise le premier don si positif de Dieu à celle qui allait être sa mère.

Don de totale pureté pour recevoir l'inconcevable Pureté, l'Immaculée Conception dit que Marie a été tout de suite ce qu'elle sera jusqu'au bout : entièrement accueil de Dieu. Imaginer en elle, ne fût-ce qu'un instant, une cohabitation avec cet énigmatique état de contre-Dieu que nous avons appelé péché originel ferait penser que Dieu n'a pu offrir à son Fils une « demeure digne de lui », comme dit la prière d'ouverture de la fête du 8 décembre. Une demeure « comblée de grâce », ne présentant aucun obstacle à l'amour que Dieu veut constamment nous donner.

Nous sommes devant l'inépuisable salutation de l'ange : « Tu es la comblée de grâce. » Il s'agit d'un puissant dynamisme, pas une chose, pas un état, mais le courant de cet amour incroyable qui pousse Dieu à faire notre bonheur et que nous ne cessons de bloquer. Marie n'a rien bloqué. Elle est même la seule qui a pu commencer de vivre — et là est l'inouï — dans une totale ouverture à l'amour de Dieu.

Dès sa conception dans le sein d'Anne, la grande œuvre de salut des hommes est enclenchée, elle ne pouvait donc être elle-même que salut, hissée dès ses débuts au comble de la grâce, sauvée en même temps que créée. Son éveil innocent à la vie fait que selon l'exacte et poétique formule de Bernanos elle est « plus jeune que le péché ».

Mais alors, que fut sa vie ? Du quotidien bien vécu : c'est cela la manifestation infiniment discrète de la grâce. Marie a eu comme nous des joies, des combats, des souffrances, sans jamais perdre la venue de Dieu, sans abîmer aucun oui à Dieu. Son oui à l'Annonciation ne fut pas de l'inédit, mais un des beaux fruits de son immaculée conception.

Si on veut survoler les forêts de discussions sur le péché originel et sur l'Immaculée Conception, on peut dire que nous sommes tous des mal-partis. Seule, Marie est bien partie, tout de suite liée sans problème à Dieu.

Ô Marie, quand je pense au péché originel, je me dis que nous sommes tous des mal-partis. Toi seule tu es bien partie, tout de suite liée sans problème à Dieu.

Sainte Marie

C'est facile d'être sainte quand on démarre en pleine innocence et qu'ensuite on est toujours comblée de grâce ! Je viens de lire des pages et des pages sur la perfection de Marie, son impeccabilité, ses oui sans hésitation, je n'ai plus envie de la regarder. Aucune faiblesse ? Bon, alors n'en parlons plus.

Au lieu d'écouter ses fatigants tresseurs de guirlandes (« De Marie, jamais assez ! »), je reviens à l'Évangile, je la regarde à Nazareth. Le ménage, la cuisine, l'éducation de Jésus, son départ, l'horrible chemin de croix, le branle-bas de la Résurrection, le suspense et l'explosion de l'Esprit. Une vie à longues plaines et quelques sommets.

Quelle sainteté là-dedans ? Les saints ont leur couleur particulière de sainteté, comme François d'Assise la pauvreté, Vincent de Paul le souci des malheureux, Thérèse de

Lisieux la confiance d'une enfant envers le Père… Dire que Marie a toutes ces couleurs me décourage. Marie, quelle est ta sainteté ?

La sainteté au quotidien

Il faut toujours revenir au oui de l'Annonciation, la sainteté de Marie c'est d'accueillir promptement, passionnément, tout ce que demande Dieu par la vie. Ça paraît simple tant qu'on n'a pas essayé de suivre ce chemin sans jamais chercher midi à 14 heures, sans jamais accepter qu'on ne pourra pas faire ceci ou cela. L'adhésion de Marie à Dieu par la vie fait de l'Inimitable la plus imitable.

Une seule leçon de sainteté, mais elle exige de l'endurance et de la limpidité. Il suffit de penser à nos mille raisons de dire non. Marie a sûrement entendu comme nous bourdonner ces raisons. Elle les a écartées, le oui valait mieux que ces importunes.

Mais parfois, quel terrible effort ! Dire oui à la croix ! Quand on raconte que Marie n'a jamais dû faire effort on s'envole dans l'irréel. C'est vrai qu'elle n'a jamais péché. C'est faux de prétendre qu'elle n'a jamais lutté. Sa grande leçon de sainteté, c'est d'avoir le droit de nous dire : « On peut toujours y arriver ! » La grâce, même la plus comblante, n'est pas un escamotage des difficultés, mais le pouvoir de ne pas faiblir dans l'adhésion à la vie, dans l'absolue connivence avec Dieu, même quand c'est à n'y rien comprendre.

Sa béatitude proclamée par Élisabeth est bien plus profonde et dense qu'elle ne paraît : « Bienheureuse, toi qui as cru ! » Qu'a-t-elle cru ? Que dans les soleils et les nuits de la vie il n'y a qu'une seule bonne attitude : dire oui et tenir ce oui.

Un oui d'esclave ? On le fait croire quand on fait de Marie une soumise sans grande personnalité. On l'a mal regardée : Marie n'est pas le modèle de la soumission mais de l'adhésion. Avec ce que cela comporte d'élan fougueux et béatifiant.

Pour cela il faut arriver à penser *mordicus* que ce que Dieu demande, c'est le meilleur. Marie a eu cette grâce, j'allais dire cette chance : croire que, même quand cela ne se voit pas, Dieu fait toujours des demandes jaillies de son amour pour nous. Le jour où nous nous installons dans cette certitude on peut nous dire : « Heureux, toi qui crois ! »

Cela vaut pour tout ce qui nous arrive, le quotidien plat et le quotidien à vertiges. Là, je regarde volontiers la perfection de Marie, sainte de la vie accueillie, endurée, exploitée sans en perdre une miette. Tout le monde a un quotidien. Tout le monde peut imiter Marie. Elle ne nous dit pas que la vie est facile, mais que la grâce est une force triomphante.

Notre Marie du 15 août !

L'Assomption, c'est le 15 août, c'est un mystère fête. On ne se trouve pas devant une doctrine géniale qui a finalement explosé en fête, mais devant une fête qui appelait une définition : « Qu'est-ce que nous fêtons ? »

D'où le dogme proclamé en 1950, ce qui souleva quelques récriminations : « De quel chapeau de prestidigitateur Rome tire-t-elle ce dogme ? » Réponse de Pie XII : de l'énorme élan populaire.

Il avait consulté tous les évêques en leur demandant l'opinion de leurs diocésains. Ce fut un oui si massif qu'il faut être vraiment sourcilleux pour voir là un abus de pouvoir du magistère : l'Assomption de Marie n'est pas précisée par l'Écriture, mais le mouvement de l'Écriture va dans ce sens.

Et rien, en Marie, ne nous concerne autant. En la regardant dans la gloire de Dieu, nous méditons sur notre propre profil de carrière : l'Assomption est notre ambition.

L'Assomption de Marie

La formulation du dogme est un bijou de précision prudente :

L'Immaculée Mère de Dieu, Marie toujours vierge, après avoir achevé le cours de sa vie terrestre, a été prise en corps et en âme dans la gloire céleste.

Rien sur les circonstances : où, quand, comment ? On peut penser à une mort très douce, une *dormitio,* disent nos frères orthodoxes, un endormissement, un ultime élan d'amour terrestre avant la merveilleuse entrée dans le monde du Père, du Fils et de l'Esprit.

C'est cela, l'essentiel : l'entrée corps et âme dans la gloire de Dieu. « Par cette fête, dit Joseph Ratzinger, l'Église chante un hymne au corps. » C'est bien notre corps qui avec Marie entre dans l'au-delà, dans le monde de Dieu. Devenu chair, Jésus a fait revivre glorieusement la chair morte de Marie.

Inutile de chercher des images, nous ne pouvons rien savoir sur la réalité et les apparences d'un corps glorieux, mais nous savons qu'après le terrible dépouillement de la mort une structure corporelle nouvelle nous redonnera un monde de relations avec nous-mêmes, avec le cosmos et ses êtres, et avec Dieu. Les théologiens discutent sur le moment de cette résurrection : tout de suite, lentement, à la Parousie ?

Pour Marie, c'est net : elle a reçu immédiatement « sa demeure éternelle dans les cieux », comme parle Paul, avec beaucoup de difficulté pour exprimer l'inexplicable :

Nous gémissons dans le désir ardent de revêtir par-dessus l'autre notre habitation céleste. Pourvu que nous soyons trouvés vêtus et non pas nus ! Nous ne voulons pas être totalement dépouillés mais revêtus pour que tout ce qui était mortel soit transfiguré par la vie (II Co 5, 1 à 4).

Voilà ce que dit le dogme de l'Assomption : tout ce qu'était Marie a reçu un ultime rayonnement de gloire, son Immaculée Conception, sa maternité divine, sa virginité : « La récolte de ce temps fini entre dans l'éternité de Dieu » (K. Rahner).

Nous sommes nés pour cette joie

C'est aussi son plus beau cadeau de mère. Son bonheur d'éternité c'est notre espérance. Elle peut nous dire : « Voilà vers quel bonheur vous avancez. Votre corps de peine sera, comme le mien, votre corps de gloire. Mon assomption vous annonce votre grandeur. L'amour de Dieu pour moi vous montre son amour pour vous. »

Voilà pourquoi le dogme de l'Assomption de Marie n'a pas été proclamé un 15 août mais à la Toussaint 1950, pour bien intégrer Marie dans tout ce qui se passe au ciel. Première dans la gloire mais faisant partie du monde des glorifiés où nous sommes tous attendus auprès d'elle.

Est-ce parce que je suis personnellement très proche du but que mon regard sur la gloire de Marie se fixe si vite sur notre propre gloire ? Sans doute, mais c'est tout de même vers mes seize ans que je me suis mis à penser fortement au ciel et cela ne m'a jamais quitté, sans enlever quoi que ce soit, d'ailleurs, à mon goût pour la vie d'ici-bas ! Mais dès cette époque, je me suis dit que la fête terrestre sans la fête du ciel serait empoisonnée par l'idée du trou final.

Il faut mourir, mais Dieu ne nous a pas faits pour l'hôpital et le funérarium. Toujours très fine, la liturgie ne parle jamais du vendredi saint sans évoquer Pâques. Jésus est le Vivant, Marie est la vivante, nous serons éternellement des vivants.

Fidèle à elle-même, Marie a sûrement bien vécu ses dernières années sur lesquelles nous ne savons rien. Dire qu'elle était impatiente de rejoindre son Fils c'est du roman : Marie est tout le contraire d'une impatiente, l'ultime leçon qu'elle nous donne, c'est de tenir aussi fermement la terre que le ciel.

Mais comme elle : en union étroite avec Jésus. Il peut être la plénitude de la terre comme du ciel. La plénitude que Marie aura toujours vécue c'est d'être avec Lui. Son Assomption nous dit la même chose que toute sa vie, elle dit : « Jésus ».

J'entends de plus en plus cette objection : « On ne sait rien sur l'au-delà, pourquoi en parler ? » Marie nous répond que nous serons avec Jésus. Elle peut nous parler de ce bonheur ! Quand je la regarde dans sa joie du 15 août et que je suis heureux de la voir si heureuse elle me dit : « Tu es né pour cette joie. »

Peu importent les étapes, du moment que nous connaissons l'arrivée : Jésus pour toujours !

Celle qui peut nous aider à dire oui

Je n'arrive pas à voir Marie en « dispensatrice de toutes les grâces ». Des petits paquets cadeaux que Marie détacherait d'un gigantesque arbre de Noël ? C'est ridicule. La grâce qu'on appelle « actuelle » manifeste sur un point d'application précis la présence constante de Dieu en nous. Elle n'est pas une chose à distribuer, mais un courant d'amour entre Dieu qui nous dit : « Veux-tu ? », par l'Évangile et par la vie, et nous qui sommes appelés à répondre oui.

Marie est celle qui a dit le oui humain le plus puissant et d'une manière si parfaite qu'elle peut être le modèle de tous nos oui qui doivent rejoindre, comme le sien, le oui suprême, humano-divin, de Jésus Sauveur.

Elle nous invite à dire oui, elle éclaire nos oui. Fait-elle plus ? Ses ultras ont poussé Rome à lui décerner le titre de médiatrice, et ce recours inflationniste a même pris une forme déplaisante. Nous devrions aller à Marie parce qu'elle a plus de cœur que Dieu ! Plus accueillante et compréhensive que Dieu puisqu'elle est mère. Elle peut amadouer le Père, elle peut écarter le bras vengeur du Fils.

Je tremble d'indignation devant ces sottises que je viens de lire en travaillant le thème de la médiation. Ceux qui comptent sur Marie pour des raisons pareilles ignorent-ils à ce point l'Ancien Testament où Dieu manifeste envers nous tant d'amour que l'auteur du psaume 8 s'exclame : « Mais qu'est-ce que peut bien être l'homme pour toi, pour que tu prennes tant soin de lui ? »

Quand je vois les jeunes papas porter si tendrement leur tout-petit, je pense au texte d'Osée 11, 1-6 :

J'ai aimé Israël enfant
J'ai fait faire à Ephraïm ses premiers pas
J'étais pour eux comme le père
qui tient l'enfant contre sa joue.

Et qui est plus mère que Dieu ?

Vous serez allaités, portés sur la hanche
cajolés sur les genoux
Comme un homme que sa mère réconforte
moi, je vous réconforterai.

(Isaïe 66, 12-13)

La femme oublie-t-elle son bébé ?
Même si les mères oubliaient
moi je ne t'oublierai pas !

(Isaïe 49, 15)

Pour le Nouveau Testament, il suffit de rappeler le père de l'enfant prodigue. Son amour ne dépasse-t-il pas tout l'amour qu'on peut imaginer ? Je vois mal Marie montrer plus de miséricorde que Dieu et lui donner des conseils : « Sois plus gentil pour X... Pardonne à Y... » Aberrant ! Intercéder, ce n'est jamais faire la leçon à Dieu, mais maintenir notre regard de foi sur son amour.

Le roc pour ne pas errer, c'est I Tm 2, 5 : « Il n'y a qu'un seul médiateur entre Dieu et les hommes, le Christ Jésus. »

Il ne s'agit donc pas de se placer dans une logique de médiation, tout en disant que Marie n'est pas autant médiatrice que Jésus, qu'elle est seulement associée, un peu corédemptrice, etc. Non, elle n'est tout simplement pas dans le prolongement de cette médiation absolument unique. Le Christ n'est pas médiateur en étant entre Dieu et les hommes, il est médiateur en étant Dieu et homme. Aucun autre médiateur ne peut être ainsi médiateur par le fait qu'il est lui-même ceux qu'il unit.

Quand on parle d'une médiation de Marie c'est autre chose, et on peut regretter l'emploi du même mot pour des réalités différentes. Nos frères protestants ont raison de refuser des formulations maladroites qui feraient penser que Marie ajoute quelque chose à la médiation du Christ.

Mais la saine réaction de tous ceux, protestants et catholiques, qui s'insurgent contre une quelconque médiation de Marie, risque de les rendre aveugles sur ce que nous pouvons demander à celle qui a su dire oui la première et de la plus parfaite façon.

Elle s'unissait ainsi d'avance et elle s'unira jusqu'au bout au oui rédempteur de Jésus. Grâce à l'Incarnation, un homme, Jésus, a pu dire à Dieu le oui que les hommes, en Adam, avaient refusé. Par sa divinité, Jésus nous sauve ; par son humanité, Jésus nous fait participer à notre salut. Dieu ne nous sauve pas sans nous, dit saint Augustin. Jésus de Nazareth, Marie et l'Église sont dans la même ligne de participation des hommes à leur salut. Dieu donne le salut, mais il faut le saisir, collaborer par nos oui, et Marie peut être la mère de ces oui.

Elle ne nous donne pas la grâce magique d'un oui sans effort, mais le fort désir de dire oui, même quand c'est très coûteux. On vérifie cela à Lourdes. Marie nous aide à voir que lorsque nous disons oui à Dieu dans n'importe quelle situation, nous disons oui à l'amour de Dieu pour nous. Ses demandes les plus exigeantes vont dans le sens de notre vrai bonheur qu'il discerne mieux que nous. Quand nous avons compris cela nous savons ce que Marie peut être pour nous : l'éducatrice de nos oui, la porteuse de nos oui. Voilà sa médiation. Nous désirons tellement que Dieu nous dise oui ! Cela me rappelle la belle et profonde prière quaker : « Ne prie pas pour que Dieu t'exauce, mais pour exaucer Dieu. » Marie peut beaucoup nous aider à convertir ainsi notre désir : « C'est toi qui en ce moment dois dire oui à Dieu. »

Marie, je ne veux pas aller à toi pour que tout soit plus facile, mais pour accomplir ce que l'amour clairvoyant de Dieu attend en ce moment de moi.

Cinquième regard

Marie de Jésus

À celui que nous appelons Jésus Christ, Fils de Dieu, Marie disait « Mon petit ». Et le premier mot que le Verbe de Dieu a balbutié, c'est « Maman ».

Les icônes de tendresse disent quelque chose de cet inimaginable duo. Pour mieux connaître Marie, essayons de voir à quel point elle a été aimée par Jésus. Dieu fait homme a découvert les hommes par le sourire de Marie, par la voix de Marie.

Elle devait tout lui apprendre, mais elle devait aussi apprendre beaucoup. C'est l'unique maman au monde qui, en regardant son enfant, n'a cessé de penser : « Qui es-tu ? »

Son pèlerinage de foi

Que pouvait-elle saisir de cette invasion de la divinité dans notre humanité ? Elle avait un petit homme dans les bras puis trottinant derrière elle. Le Messie ? C'était encore possible de le penser, mais quand est-elle allée plus loin ?

Je n'aime plus le poème de Marie Noël : « Mon Dieu qui dormez, faible entre mes bras ». C'est aussi faux que beau. Marie n'est pas passée ainsi continuellement d'un Enfant-Dieu à un bébé-homme, elle berçait un mystère qui ne lui fut accessible qu'à Pentecôte.

Certains objecteront qu'elle avait des lumières particulières. Sûrement. Mais quelles lumières ? Chacun, ici, peut faire ses hypothèses. J'ai longtemps cru, comme Marie-Noël, qu'elle avait vécu à Nazareth avec un enfant à qui elle disait tantôt « Mon Dieu » et tantôt « Mon petit ». Peu à peu, j'ai compris que pour cette jeune juive croire qu'elle tenait Dieu dans ses bras était impensable. Ce qui m'a définitivement éclairé, c'est le mot audacieux et ferme de Vatican II : « Marie avança dans son pèlerinage de foi » (*Lumen gentium* 8, 58).

Entrer dans ce cheminement de Marie est une aide immense pour notre vie avec le Christ. Nous aussi nous ne cessons de lui dire : « Qui es-tu ? » Sinon nous cédons à la tentation de vouloir qu'un mystère ne soit pas vraiment mystère. La seule vraie manière de cohabiter avec le mystère c'est d'accomplir, comme Marie, un « pèlerinage de foi ».

Quelque chose nous suggère que ce fut très difficile : l'incroyable silence de Nazareth. Trente années à se demander : quel Messie ? Mais une chose est certaine : dans ce long non-dit sur la divinité, jamais une mère n'aura autant aimé son enfant. Précieuse leçon : l'amour peut aller plus loin que la connaissance, ou plutôt l'amour est une connaissance particulière avec ses nuits, ses fulgurations et son progrès constant, son pèlerinage.

Je me dis tout cela en contemplant l'icône de Vladimir. D'un côté il y a la puissance d'amour vierge de Marie : elle n'existe et elle n'existera que pour cet enfant, elle est littéralement « Marie de Jésus ». Ceux qui lui veulent d'autres enfants ont-ils médité sur ce brasier d'amour ?

De l'autre côté, plus inconnaissable pour nous, se déploie la puissance d'amour d'un Dieu qui apprend à aimer humainement. Se dire que Jésus a commencé sa vie affective en aimant Marie approfondit notre regard sur elle. C'était l'intuition du P. d'Alzon, fondateur des Assomptionnistes, il aimait dire et redire que nous aimons Marie parce que Jésus l'a aimée. Prendre pour modèle la limpidité de Marie, sa disponibilité, sa discrétion et son silence nous donne la certitude d'être regardé affectueusement par Jésus.

« Il grandissait »

« Il grandissait en sagesse, en taille et en grâce. » C'est dans le silence de Nazareth que Jésus est le plus Jésus de Marie[1]. Elle l'a mis à l'aise dans notre quotidien que nous pouvons aimer puisqu'il l'a aimé. « Avez-vous observé, dira-t-il plus tard, une femme qui prépare la pâte ? Une femme qui cherche la monnaie perdue ? Avez-vous vu l'étoffe superbe des lys ?… »

1. Le livre de Henri Sanson, *Nazareth, intimité spirituelle*, est une précieuse approche du silence de Nazareth.

Le Jésus que nous découvrons en pleine vie publique a développé sa personnalité sous l'influence de l'Esprit, bien sûr, mais aussi sous le regard et par les paroles de Marie. À cette époque, tout était vécu en famille. Marie a transmis à Jésus sa gentillesse et son attention aux humbles. S'il a eu tellement horreur des suffisants, il le tient de Marie infiniment vierge de tout orgueil.

Lui a-t-elle aussi appris à prier ? Oui, mais seulement quand il était enfant. Dès ses douze ans, elle découvre étonnée le grand secret qui va l'ouvrir elle aussi à des abîmes d'intériorité : « Il faut que je sois à mon Père. » Comme il a prononcé ce mot de Père ! Étape décisive du pèlerinage de foi de Marie : quels sont déjà les liens du futur Messie avec Dieu ?

Marie de Nazareth nous aide à vivre silencieusement mais continuellement avec ce Jésus du grand secret : « Je dois être à mon Père. »

« Qui est ma mère ? »

Tant de tendresse réciproque pendant les années obscures aurait pu faire de Marie une mère abusive. Les mères de fils unique ont ici leur modèle et, si nécessaire, leur guérison.

Un matin de déchirement elle l'a regardé partir vers sa mission de Messie. Comment n'aurait-elle pas pensé à la prophétie de Syméon ? « Il va être contesté, tu vas souffrir. »

Mais jamais elle ne le gênera, jamais elle ne l'étouffera sous les conseils de prudence des mères qui voient la sécurité de leur enfant plus que ses responsabilités.

Une seule fois on peut hésiter sur l'interprétation de son attitude qui ne dut pas être facile. La famille prenait Jésus pour un fou. Engagée dans une aventure où il fallait raisonner ce fils dont elle soupçonnait la démesure, elle l'entend parler d'une autre famille : « Qui sont ma mère et mes frères ? »

En repartant à Nazareth avec la parenté furieuse, elle plonge dans cette méditation qui la sauve toujours. Comme elle se sent unie à Jésus en scrutant sa parole sur la seule manière d'être vraiment sa mère : faire la volonté de Dieu (Mc 3, 33-35).

Quand je la regarde s'éloigner sans avoir même eu un regard de son enfant si hanté par la volonté de Dieu, je me dis que c'est inutile de demander à Marie autre chose que l'adhésion à Dieu. Un beau vers me revient : « Elle a fait sa demeure dans les vouloirs du Père. »

Stabat

Ces vouloirs furent doux jusqu'au jour où Dieu lui demanda ce qu'on ne devrait pas demander à une mère : voir mourir ainsi son fils.

La regarder anéantie nous bouleverserait mais ne nous aiderait pas à adhérer nous-mêmes à la Passion, à toutes les Passions. Non, nous la regardons debout. *Stabat.* Plus que jamais elle est Marie de Jésus, souffrant horriblement mais souffrant avec lui pour le salut de tous.

Comment aurait-elle pu imaginer que son oui de printemps deviendrait ce oui de sang ? Il faut qu'elle continue de croire qu'il est le Messie, là, humilié, torturé, agonisant. Elle doit rester debout quand le fruit de ses entrailles, à qui elle a voué toutes ses puissances d'aimer, souffre à ce point sans qu'elle puisse faire autre chose qu'adhérer à tant de mystère. Est-ce que cela en fait une corédemptrice ? Non, seul Jésus pouvait accomplir l'acte rédempteur. Mais Marie, devant la croix, a été l'humanité qui commençait à entrer dans la rédemption en y participant.

De ce sommet de souffrance, Jésus ne l'a pas regardée pour exprimer ses sentiments de fils, mais pour manifester la maternité universelle de sa mère. Là, Marie de Jésus est devenue explicitement Marie de nous tous.

Sixième regard

Marie de Vatican II

Le dernier chapitre de la Constitution sur L'Église, le chapitre 8 de *Lumen gentium*, est le regard de l'Église sur Marie.

C'est une Marie ecclésiale. Une affirmation essentielle, plus importante que le texte même, revient constamment : Marie est dans l'Église. « Membre suréminent » mais membre. La plus haute mais dedans.

« Êtes-vous pour ou contre Marie ? »

À lire ce texte court (quinze pages), dense, très travaillé, ferme mais paisible, on ne se douterait pas que sa place à cet endroit occasionna tant de remous. Les Pères du concile se sont vus poussés vers la question brutale : « Êtes-vous pour ou contre Marie ? » Le vote d'un texte conciliaire marial avait fini par prendre l'allure d'un dilemme violent : « Faut-il parler de Marie dans un texte à part ou insérer ce texte dans la Constitution sur l'Église ? »

Derrière ce dilemme se profilaient les deux courants qui n'ont cessé de s'opposer quand il s'agit de définir la personnalité et le rôle de Marie.

Le courant « privilèges » veut la mettre si haut qu'il fabrique un monde à part : la « mariologie ». Le courant « insertion » à l'intérieur de l'Église semble la rabaisser au niveau de tous les chrétiens.

Reine ou sœur ? Voilà devant quel choix se trouvaient les évêques. Ce fut long et difficile, les votes sont éloquents : 1 114 pour l'insertion, 1 074 contre. Mais quand le 21 novembre 1964 Paul VI promulgua *Lumen gentium*, la même assemblée avait pu s'accorder dans une quasi-unanimité sur un de ses meilleurs textes, considéré désormais comme la source sûre de la dévotion à Marie.

« Dans »

Était donc plébiscité le « dans », mot clé de ce chapitre 8.

« Dieu, quand vint la plénitude du temps, envoya son Fils né d'une femme, pour faire de nous des fils adoptifs » (Ga 4, 4-5). C'est ainsi que son Fils, « à cause de nous et pour notre salut, descendit du ciel et prit chair de la Vierge Marie par l'action du Saint-Esprit » (Credo). Ce mystère de salut se révèle pour nous et se continue DANS *l'Église,* DANS *laquelle les croyants se doivent de vénérer* EN TOUT PREMIER LIEU *la mémoire de la glorieuse Marie, toujours vierge, Mère de notre Dieu et Seigneur Jésus Christ* (n° 52).

Dès les premières lignes du chapitre 8, le « dans » est lancé, avec son corollaire équilibrant : « en tout premier lieu ». Dans l'Église, mais première. Le même équilibre va jouer jusqu'au bout :

Marie a reçu cette immense charge et dignité d'être la Mère du Fils de Dieu, la fille de prédilection du Père et le sanctuaire du Saint-Esprit, don d'une grâce exceptionnelle qui la met bien loin au-dessus de toutes les créatures dans le ciel et sur la terre, mais...

La mettre si haut menaçait de la mettre à part, le MAIS la ramène DANS :

... mais elle se trouve aussi, comme descendante d'Adam, réunie à l'humanité (n° 53).

Le chapitre 8 est traversé par cette tension qui a caractérisé et caractérisera toujours la manière de regarder Marie : à part ou au milieu de nous. Le titre finalement adopté est à lui seul, avec ses mots serrés, un résumé de tout ce que l'on peut dire sur Marie : « La bienheureuse Vierge Marie Mère de Dieu dans le mystère du Christ et de l'Église. »

Marie modèle

Après avoir solidement inséré Marie dans l'Église, le Concile s'interroge évidemment sur son rôle. La réponse est nette : elle est modèle et mère.

Modèle ? Tout de suite surgit le grand paradoxe : Marie est à la fois singulière et pourtant imitable. Les féministes s'irritent vite devant sa singularité : « Qu'est-ce que c'est que cette histoire de mère vierge ? » Mais il faut s'y faire : il n'y a qu'une femme aussi extraordinaire, et pourtant aucune femme n'a vécu aussi ordinairement.

Singularité ? Elle est « intimement présente, dit le Concile, à l'histoire du salut ». Elle appartient à tous les âges de la foi : joyau de l'Ancien Testament, liée à tous les faits de l'Évangile, présente à la naissance de l'Église, et maintenant image parfaite de notre vie éternelle.

Comme fille d'Israël, elle fut le modèle des « humbles et des pauvres qui espèrent et reçoivent le salut avec confiance ». Il faut se jeter avidement sur cette première lumière, car Marie est le suprême modèle de l'accueil du salut.

On le perçoit dans les trois hauts moments de sa vie : le *Fiat* de l'Annonciation, le *Stabat* de la Croix et l'attente de l'Esprit avec l'Église naissante. Chaque fois, « Marie a épousé à plein cœur la volonté divine de salut ».

Par la générosité de cet accueil, Marie « a apporté au salut des hommes non pas simplement la coopération d'un instrument passif aux mains de Dieu, mais la liberté de sa foi et de son obéissance ».

Le Concile a souligné ainsi l'aspect actif de l'accueil marial du salut : une obéissance de coopération : « Marie apporta à l'œuvre du Sauveur une coopération absolument sans pareille. »

Une certaine indifférence à l'égard de Marie vient de ce qu'on la considère comme un simple rouage du salut, nécessaire mais sans grand intérêt : « Il fallait une femme ? Bien, passons à autre chose. »

Au contraire, inlassablement, le chapitre 8 va montrer, selon sa formulation splendide, que Marie « présente au monde la Vie ». L'insondable regard de l'icône de Vladimir nous dit toujours : « Veux-tu vivre ? »

C'est Marie qui peut le mieux nous révéler que vivre c'est ne jamais lâcher le Christ. Ici le Concile se sent obligé de balayer la vieille et permanente objection : ce qui est donné à Marie est volé au Christ. Dans les faits, c'est possible. Il y a des dévots qui en entrant dans une église vont se précipiter au pied d'une statue de la Vierge en oubliant le tabernacle. Mais Claudel, à qui on faisait cette remarque, répondait : « Je me prépare près d'elle à mieux rencontrer le Christ. »

« Le rôle maternel de Marie à l'égard des hommes, précise bien le Concile, n'offusque et ne diminue en rien l'unique médiation du Christ... L'union immédiate des croyants avec le Christ ne s'en trouve en aucune manière empêchée, mais au contraire aidée... Marie renvoie à son Fils les fidèles qui la prient. »

Après le plus bel accueil du salut, Marie reste donc l'indépassable modèle de l'union au Christ. Ayant fortement insisté sur ces deux aspects majeurs de Marie comme modèle, le Concile n'est pas entré dans une énumération toujours un peu ennuyeuse de toutes les vertus. Il s'est contenté de dire qu'on imite Marie « quand on progresse dans la foi, l'espérance et la charité, en recherchant et en accomplissant en tout la divine volonté ».

C'est simple, Marie est la sainte la plus encourageante, parce que sa perfection s'est accomplie dans une vie très ordinaire et en mettant en œuvre les moyens les plus classiques et les plus efficaces : le développement des vertus théologales, foi, espérance et amour, puissantes forces d'adhésion à Dieu, et le désir sans faille de faire sa volonté. Ainsi on plaît à Dieu en fabriquant de la sainteté avec, comme matière première, la vie que Dieu nous donne. La liturgie fait dire à Marie : « J'ai plu au Très-Haut. » Peut-on chercher un meilleur modèle ?

Mais aussitôt revient le problème de la Singulière : comment prendre pour modèle une vie dotée de privilèges uniques en vue d'une inimaginable mission.

La réponse vaut pour toutes les tentatives d'imiter un saint. Nous essayons d'aller jusqu'à l'âme du modèle, et à partir de là nous devons construire notre originalité, puisque dans l'immense dessein de Dieu chacun de nous est une aventure unique. Imiter Marie c'est suivre, selon notre génie propre et les circonstances de notre vie, les deux lignes maîtresses de sa sainteté : l'accueil des annonciations et l'étroite union au Christ.

Marie, notre Mère

Le Concile bâtit son enseignement au sujet de la maternité universelle de Marie sur la notion de corps mystique du Christ :

Marie est vraiment Mère des membres du Christ ayant coopéré par sa charité à la naissance dans l'Église des fidèles qui sont les membres de ce Chef.

Curieusement, le Concile effleure à peine l'autre roc de la maternité universelle :

Marie fut donnée comme mère au disciple par ces mots : Femme, voici ton fils (Jn 19, 26-27).

Les chrétiens plutôt sceptiques sur l'importance de Marie accordent assez volontiers qu'elle a coopéré à l'œuvre de notre salut, mais pour eux c'est une page tournée à partir de la naissance de Jésus. Ce n'est pas ce que pense le Concile.

La maternité de Marie dans l'ordre de la grâce se continue sans interruption jusqu'à la consommation définitive de tous les élus. Après l'Assomption, son rôle au ciel dans le salut ne s'interrompt pas : par son intercession répétée elle continue à nous obtenir les dons qui assurent notre salut éternel. Son amour maternel la rend attentive aux frères de son Fils.

Fermeté prudente. Le Concile sait que les impatients d'un nouveau dogme qui proclamerait Marie Médiatrice attendaient ici les rédacteurs du chapitre 8. Ils ont prononcé le mot mais en le noyant dans des « titres divers comme avocate, auxiliatrice, secourable, médiatrice ». Et pour que ça soit bien clair, le Concile ajoute :

Tout cela entendu de telle sorte que nulle dérogation, nulle addition n'en résulte quant à la dignité et l'efficacité de l'unique Médiateur, le Christ.

Mais fidèle à un esprit d'ouverture qu'on est malheureusement en train de perdre, le Concile avait dit au début du texte qu'il n'avait pas « l'intention de trancher les questions que le travail des théologiens n'a pu encore amener à une lumière totale. Par conséquent, les opinions demeureront légitimes ».

Le Concile a voulu laisser dans le flou la question de l'intercession. On l'accorde à tous les saints, et on sait à quel point Thérèse de Lisieux se réjouissait de faire beaucoup au ciel pour les gens de la terre, et elle a tenu parole.

Marie est dans cette ligne, mais avec deux différences qui rendent une fois de plus son rôle comparable et incomparable : c'est la puissance de son influence sur Dieu (« Mère du Fils de Dieu, fille de prédilection du Père, sanctuaire du Saint-Esprit ») et l'universalité de sa protection maternelle. Depuis son Assomption, elle peut être en relation avec chacun de nous.

Le Concile donne au moins une précision : en liaison avec son amour de mère, elle contribue à engendrer et à éduquer « les nouveaux enfants de Dieu ». La cérémonie du baptême se termine généralement par une procession à une statue de la Vierge pour présenter le baptisé à Marie. À cette occasion, des parents composent une très belle prière inspirée de la foi à la maternité spirituelle de Marie. Bien des orphelins ont aussi adopté Marie comme « maman du ciel ».

On entre là dans le domaine d'une affectivité respectable mais il manque la rigueur doctrinale qu'apporteraient des réponses plus précises sur le rôle exact de Marie.

Mère de l'Église ?

Probablement très déçu de voir que le Concile ne s'était pas prononcé au sujet du titre de Mère de l'Église, qui avait été pourtant prêché par Jean XXIII à Lorette et Sainte-Marie Majeure, Paul VI fit, le 21 novembre 1964, un ajout au chapitre 8 :

Nous proclamons la Très Sainte Vierge Marie Mère de l'Église, c'est-à-dire de tout le peuple de Dieu.

Ajout, mais, affirme le pape, bien dans l'esprit du chapitre 8 :

C'est la première fois qu'un concile œcuménique présente une synthèse si vaste sur la place que Marie occupe dans le mystère du Christ et de l'Église.

Et il poursuit en montrant l'importance du chapitre 8 de *Lumen gentium*, regard ecclésial sur Marie :

C'est dans la vision de l'Église que doit s'insérer la contemplation aimante des merveilles que Dieu a opérées en sa sainte Mère. Et la connaissance de la véritable doctrine catholique sur Marie constituera toujours une clé, pour la compréhension exacte du mystère du Christ et de l'Église.

Septième regard

Marie de nos frères protestants et orthodoxes

Vatican II a-t-il minimisé l'importance de Marie par souci d'œcuménisme ? Le chapitre 8 de *Lumen gentium* est bien un regard assez nouveau sur Marie, mais pas dans le sens d'un lâchage ! On a vu qu'il s'agissait plutôt d'un émondage des excès et surtout d'un rapatriement de Marie dans l'Église.

Il en a résulté, certes, un silence sur Marie dans le temps qui a suivi le Concile. Les gens du tout ou rien n'aiment guère les efforts de discernement. Le Concile avait pourtant mis en garde les théologiens et les prédicateurs contre « une étroitesse injustifiée » à l'égard de Marie. « Injustifiée » caractérise bien l'attitude de ceux qui, de plus en plus nombreux, négligent Marie sans prendre la peine de travailler un peu la question.

Raison souvent invoquée : ne pas gêner l'œcuménisme. Mais le véritable œcuménisme cherche des richesses de vie, alors que le mutisme est une mort. Au lieu de dire : « Ne parlons pas de la Vierge, cela va nous diviser encore plus », pourquoi ne pas accepter un effort ? Parlons-en le mieux possible, et partageons tout ce qu'on peut partager.

Marie chez les catholiques

La première démarche doit donc être un repérage : où en est chaque Église ? En commençant par les catholiques, car le temps n'est plus où ils présentaient leurs croyances en bloc assez homogène. Je me souviens de la réflexion d'un pasteur : « Vous parlez toujours de nos divisions. Et les vôtres ? »

Au sujet de Marie il y a maintenant chez les catholiques les maximalistes, les minimalistes assez indifférents, et les conciliaires. Ce sont surtout les conciliaires qui savent le mieux dialoguer avec les protestants et les orthodoxes, comme ils ont commencé à le faire lors du Concile.

Que peuvent constater chez nous nos frères séparés ? Une théologie mariale qui, ne développant plus « à part » des dogmes marials, cherche un ressourcement biblique et traditionnel (les Pères et les premiers conciles) en reprenant inlassablement la grande idée de Vatican II : Marie dans « les perspectives du salut ». De quoi stopper la prolifération et le sentimentalisme que Luther appelait « les abus » et qui ont toujours gêné par la suite les protestants.

Ils ont particulièrement aimé le texte conciliaire du pèlerinage de Marie dans la foi, et le recours à I Tm 2, 5-6 (« Nous n'avons qu'un seul médiateur, le Christ ») chaque

Paroisse Notr
3535 a
Montréa
Téléphon

EDUCATION DE LA FOI (**Préparati**

Bonjour chers parents,

Avec l'arrivée de l'automne, beaucoup d'a
merveilleuse saison où dame nature chan
pour faire place à un nouveau parcours "

Ce parcours propose comme un chemin à
animateurs bénévoles de catéchèse avec l
rencontres avec la communauté chrétienn

L'une des priorités du parcours est d'aider
trésor de la foi, prendre la route avec lui
communion, confirmation).

Aujourd'hui, l'initiation aux et par les sac
cette démarche nous allons respecter la

fois que se profile une médiation mariale. D'où la surprise et le regret de voir Jean-Paul II reprendre dans son encyclique sur la Vierge le thème de la médiation maternelle. « Avec toutes les précautions requises, fait remarquer le P. Sesboüé[1], mais pourquoi employer un mot qui exige tant de précautions ? »

Ce qui marque beaucoup actuellement la question mariale, ce sont les apparitions, un fait devenu si important qu'il faudra y consacrer une méditation.

Un point de consensus entre toutes les Églises au sujet de Marie, et encore une fois bien précisé par Vatican II, c'est le lien si étroit entre Marie et le Saint-Esprit. Elle a été « le sanctuaire de l'Esprit, pétrie par l'Esprit et formée par lui comme nouvelle créature ». Unie aux apôtres, avant le jour de Pentecôte, « on voit Marie appelant elle aussi de ses prières l'Esprit qui, à l'Annonciation, l'avait déjà prise sous son ombre ».

On peut distinguer ainsi une action ponctuelle, celle qui fait miraculeusement naître en elle Jésus, et une action prolongée qui la rend capable d'être constamment à la hauteur de sa mission de mère de Dieu[2]. Là où l'Esprit ne rencontre aucun obstacle mais au contraire une grande attente, il peut « faire des merveilles ».

On parle beaucoup de la vie trinitaire de Marie, la bien-aimée du Père, la mère du Fils et la parfaite disciple de l'Esprit, en oubliant peut-être que cette jeune juive ignorait notre théologie. Que savait-elle ? L'Esprit l'éclai-

---

1. Dans le chapitre consacré à Marie, à la fin de son remarquable livre *Pour une théologie œcuménique* (Cerf).
2. Jean-Claude Michel étudie cette double action de l'Esprit en Marie dans *Qui es-tu, Marie ? (Lion de Juda).*

rait, et l'existence même de Jésus l'aidait à passer du Dieu un au Dieu trine, mais le rude « Ils ne comprirent pas » de Luc, qui conclut l'épisode de Jésus adolescent, révèle le long chemin que dut faire cette fille d'Israël pour devenir la première chrétienne.

Le noyau dur pour nos frères protestants

« À mon sens, dit Bernard Sesboüé, ce ne sont pas les privilèges marials qui constituent aujourd'hui la difficulté la plus grave entre catholiques et protestants. C'est l'idée que Marie ait pu coopérer à l'œuvre du salut. »

Tant qu'il s'agit de vénérer Marie, pas de problème. « La louange de Marie, dit le pasteur André Dumas, est notre commune joie[3]. » C'était déjà vrai au temps de la Réforme.

Dans son beau commentaire du *Magnificat*, Luther écrit : « Nous devons examiner avec un profond recueillement ce que veut dire être la Mère de Dieu. » Principe d'or qui vaut pour tous les chrétiens.

Mais deux « requêtes marquent » les protestants : il faut que ce qu'on affirme soit biblique, tiré des Écritures, et il ne faut pas toucher à la médiation unique de Jésus Christ.

Luther a pratiqué l'*Ave Maria*, mais seulement la partie biblique ! « Je te salue, Marie, pleine de grâce ; le Seigneur est avec toi ; tu es bénie entre toutes les femmes, et le fruit de ton corps, Jésus Christ, est béni. »

---

3. Dans l'ouvrage *Marie de Nazareth*, en collaboration avec son épouse Francine. Un livre clair, fin, mais net : « Voilà ce que nous acceptons, voilà ce que nous refusons. »

Ce qu'on ajoute, dit André Dumas, est « mariologique ». Dans ce mot passe une véritable répulsion à l'égard de la prolifération catholique des dogmes, apparitions et dévotions. Surtout quand le théologien protestant subodore une quelconque puissance salvatrice de Marie du même ordre que celle de l'unique sauveur.

Comme mère de Dieu, Marie est la plus grande dans l'Église, mais pas autre que nous. Ni vierge immaculée, ni même médiatrice, mais sœur aînée.

On pourrait entrer dans les détails. Par exemple, pour André Dumas, le dogme de l'Immaculée Conception n'a aucun fondement solide dans les Écritures, il risque de détruire la vérité de l'Incarnation, puisque Marie serait une mère hors de la commune condition humaine. Quant à la virginité perpétuelle, elle porte atteinte à l'amour conjugal entre Joseph et Marie. Et l'Assomption ! s'insurge le théologien, dans certaines fresques elle occupe au ciel la place centrale ! Marie n'est pas mère de l'Église, parce que l'Église est fille de la Parole, engendrée par l'Esprit. Nous sommes enfants de Marie mais de sa foi, pas de sa virginité ni de son intercession maternelle. Toutes les exaltations mariologiques sont une écharde dans la chair de l'œcuménisme.

Sous tout cela on atteint le noyau dur : le rôle exact de Marie, actuellement. Les protestants peinent à dépasser les frontières du Nouveau Testament et des premiers conciles, alors que les catholiques font appel à une tradition sans cesse développée. Apparaissent alors le spectre de la papauté et l'intervention trop active de l'Église, ce qui va contre la base de la foi des Réformateurs : une seule grâce, une seule foi et la gloire à Dieu seul.

L'unique évolution possible, qui semble se dessiner chez certains, c'est le réexamen de la notion de tradition, comme interprétation vivante de l'Écriture.

Pour en revenir au rôle actuel de Marie, André Dumas dit qu'elle est « désormais parmi les autres sans référence spéciale au Dieu qu'elle a porté, mais elle n'est pas dans la foule anonyme, elle est parmi ceux qui poursuivent l'œuvre de son Fils, sa vie en quelque sorte… » Mélange d'affirmations et de repentirs, cette page est la plus embarrassée. On sent le vieux refus de la dévotion aux saints. Même à la plus grande, on ne veut pas accorder trop de puissance qui ferait écran entre Dieu et nous.

Mais nous, sommes-nous tellement au clair avec notre conception du rôle actuel de Marie ? Ce qui nous sépare des protestants nous divise aussi entre catholiques.

« Moins de juridisme », demandent nos frères orthodoxes

Nos frères des icônes et des grandes liturgies n'aiment guère les deux derniers dogmes marials qui, à leurs yeux, survolent trop les Écritures et mêlent le juridisme à la piété mariale. Pour eux par exemple, le dogme de l'Immaculée Conception donne trop d'importance au juridisme du péché originel et il diminue les mérites de Marie, une expression à faire bondir les protestants. Si parfaitement immunisée contre toute faiblesse, elle n'avait finalement pas d'effort à faire !

N'essayons pas, à notre manière occidentale, de concilier deux affirmations orthodoxes : Marie est la toute-sainte mais elle a été marquée par la faute d'Adam.

En France, un excellent catéchisme pour les familles a été réalisé par un groupe de chrétiens orthodoxes[4]. C'est là que je vais puiser les éléments d'un regard orthodoxe sur Marie.

À l'Annonciation, la liturgie orthodoxe médite l'épisode de l'échelle de Jacob (Gn 28, 10-17) : « Une échelle était plantée en terre, son sommet atteignait le ciel et les anges de Dieu y montaient et descendaient. »

Quand Dieu s'incarne, c'est le ciel et la terre réunis, mais il faut que la terre accueille Dieu : Marie est cet accueil. Elle est le lien entre le ciel et la terre, elle est la Porte du ciel car par elle Dieu fait son entrée parmi les hommes en la personne de Jésus.

Sur les icônes, Marie porte trois étoiles qui symbolisent sa virginité : vierge avant, vierge pendant, vierge après.

Pour célébrer un mariage ou une ordination, on chante :

Isaïe, réjouis-toi ! La Vierge a conçu
Elle enfante un Fils, l'Emmanuel
Dieu et homme à la fois
Enfant, nous t'exaltons
Et toi, Vierge, nous te bénissons.

Dieu s'incarne aussi en nous par le Saint-Esprit. Le but du chrétien, sa lutte contre le péché, est de laisser transparaître l'incarnation du Verbe dans sa vie et même dans son corps.

Marie, modèle de notre divinisation… qui exige nos efforts ! On est loin des protestants. Marie a totalement accompli l'union avec Dieu, et c'est notre meilleur guide dans cette voie. « Guide » est un mot très discret sur le rôle

4. *Dieu est vivant* (Cerf). Mes citations sont extraites de ce livre.

de Marie. Comme les protestants, les orthodoxes coupent le *Je vous salue Marie* juste avant l'invocation : « Prie pour nous » : « Mère de Dieu et Vierge, réjouis-toi pleine de grâce : le Seigneur est avec Toi, Tu es bénie entre toutes les femmes, et le fruit de Tes entrailles est béni, car Tu as enfanté le Sauveur de nos âmes. »

La présentation de l'Assomption, que les orthodoxes appellent « la Dormition de la Mère de Dieu », offre un bel échantillon de l'esprit orthodoxe : « la Dormition » n'est pas racontée par les Saintes Écritures, mais le récit nous en a été conservé dans la mémoire de l'Église et s'exprime dans l'icône de la fête et dans la liturgie du 15 août.

Marie naît au ciel. Elle a prêté son humanité pour que le Fils de Dieu naisse sur terre. Le Fils lui prête en retour sa divinité pour qu'elle naisse au ciel. « La gloire du siècle à venir, la fin dernière de l'homme est déjà réalisée, non seulement dans une personne divine incarnée, mais aussi dans une personne humaine déifiée » (V. Lossky).

Le 15 août, dit le catéchisme, nous fêtons comme une seconde Pâque la résurrection de celle qui, avant le Jugement dernier, avant la résurrection générale, est dès aujourd'hui unie au Christ. Ce qui est déjà réalisé en Marie est prévu pour chacun de nous. À la fin des temps, après le Jugement, nous serons vivants, âme et corps, devant la Face de Dieu.

Ce bref contact avec nos frères orthodoxes peut nous aider à partager leur paix tranquille et joyeuse. L'œcuménisme n'est pas seulement une affaire de discussions et d'affrontements, c'est l'ouverture à d'autres richesses.

Les protestants sont nos garde-fous devant la tentation de faire de Marie une corédemptrice et renforcent notre recherche déjà grande maintenant des lumières bibliques. Les orthodoxes nous sauvent des débats trop juridiques et nous ouvrent à la gloire de Marie et à la nôtre.

Mais en rédigeant cette méditation je me suis rendu compte que nous vivons en marge de nos frères. Les orthodoxes, surtout, nous restent très lointains. Nous disons un peu vite que rien d'important ne nous sépare d'eux. Si, quelque chose d'immense : une manière de vivre la foi.

Puisse la louange de Marie devenir notre commune joie !

Huitième regard

Marie de Lourdes

Les apparitions de la Vierge aident-elles les pèlerins à prier, à se convertir ou à se dévouer ? C'est la question « pastorale » de l'abbé Laurentin. Son livre sur les apparitions de la Vierge[1] est une bonne analyse de ce phénomène parce qu'il résulte à la fois d'une étude de terrain et d'une réflexion théologique courageuse. « Je sais, soupire-t-il, qu'à m'occuper de ces choses je perds ma réputation de théologien. »

Alors, pourquoi s'est-il si totalement engagé ? – « Parce que je me suis aperçu que bien des pèlerins sont comme des brebis sans pasteur, ne connaissant de l'Église que des heurts pour eux incompréhensibles. »

1. *Multiplication des apparitions de la Vierge aujourd'hui* (Fayard).

Il donne l'exemple de San Damiano, en Italie. Une fervente chrétienne, Rosa Quattrini, mère de deux enfants nés par césarienne, avait refusé héroïquement un avortement thérapeutique. La naissance réussit, mais la santé de Rosa reste très ébranlée. En 1961, la Vierge lui apparaît, la guérit, et revient chaque semaine avec un message que Rosa diffuse elle-même. Après interdiction de l'évêque, Mamma Rosa tombe sous la coupe de prêtres qui influencent désastreusement ses messages. Par exemple, on lui fait dire que Marie désapprouve la communion dans la main. René Laurentin pense que si Mamma Rosa avait été conseillée par des prêtres plus prudents et éclairés, les pèlerinages à San Damiano, au lieu d'être source de conflits, auraient pu aider des milliers de pèlerins à progresser dans la foi et la prière.

Voilà pourquoi j'ai intitulé cette méditation : « Lourdes ». J'ai voulu regarder Marie des apparitions dans un des plus célèbres pèlerinages du monde qui répond idéalement aux trois critères de jugement : équilibre des voyants, valeur des messages, fruits de vie chrétienne[2].

Les trois atouts de Lourdes

Bernadette

Pour confidente à Lourdes Marie a choisi Bernadette, une maigrelette de quatorze ans, qui en paraissait douze, asthmatique, illettrée, inculte au point de vue religieux : « Elle ignore même la Trinité ! » soupirait le vicaire. La famille Soubirous était descendue au plus profond de la

2. *Dictionnaire de la vie spirituelle*, article « Voyant », p. 120 (Cerf).

misère, on vivait à six dans le cachot de l'ancienne prison de Lourdes. Et pourtant, quand Bernadette sera devenue la voyante de Lourdes et qu'on voudra lui donner de l'argent, elle le jettera : « Ça me brûle.[3] » Et elle giflera son petit frère qui a accepté un pourboire pour de l'eau rapportée de la grotte.

Le 11 février 1858, Bernadette était allée avec deux compagnes à la grotte de Massabielle pour gagner quelques sous en ramassant des os et un peu de bois. Soudain, le rocher de Massabielle s'illumine, une « dame » apparaît, en robe blanche, ceinture bleue, et rose d'or sur chaque pied nu. Elle apparaîtra dix-huit fois, dialoguant en patois avec Bernadette. Soumise à des interrogatoires menaçants ou adulée par la foule, Bernadette restera très simple. Elle répondra à toutes les questions des gens et surtout des autorités religieuses et civiles avec une inaltérable modestie et une surprenante finesse. Disant par exemple à un sceptique qui la harcelait : « Je suis chargée de vous le dire, je ne suis pas chargée de vous le faire croire. »

Après les apparitions, elle entra chez les sœurs de la Charité de Nevers, où elle mourut à 35 ans, après avoir enduré patiemment de grandes souffrances physiques et morales. La Vierge lui avait dit : « Je vous promets [elle vouvoyait cette enfant] de vous rendre heureuse, pas dans ce monde mais dans l'autre. » Elle fut canonisée en 1933. Loin de détruire son équilibre et d'en faire une orgueilleuse ou une illuminée, les apparitions avaient réalisé en elle la plus belle sainteté qu'on puisse trouver chez une voyante.

---

3. *Message de Lourdes*, par l'abbé Laurentin (Éd. B. P.). En 60 pages, l'auteur a su dégager les richesses essentielles de Lourdes.

Le message

La pauvreté de Bernadette est déjà le message de Lourdes, lieu par excellence des Béatitudes. Quel puissant de la terre aurait pris comme messagère cette pauvresse ? Quand elle a choisi Bernadette, Marie est allée droit à la richesse de cœur comme le Très-Haut l'avait fait pour elle. Rien qu'en rappelant le « Bienheureux les pauvres », Lourdes est une vivante prédication évangélique.

On objecte que les huit paroles de la Vierge rapportées par Bernadette ne forment qu'une mince prédication, austère et sans originalité : pénitence et prière. Mais Marie ne vient pas enseigner, elle rappelle seulement quelques vérités essentielles. Les apparitions ne sont pas, ne doivent pas être un supplément à la Révélation, une nouveauté que beaucoup attendent, plus ou moins consciemment. Elles sont toujours un rappel de l'Évangile. Et c'est là que nous touchons le troisième critère d'authenticité des apparitions : les fruits.

Les fruits

Quand le lieu d'une apparition a la chance d'être pris en charge par des animateurs éclairés et fervents, les fruits sont magnifiques. Ce fut toujours le cas pour Lourdes.

On différencie de plus en plus, surtout au sujet des apparitions controversées, l'authenticité de la vision et des messages et les fruits du pèlerinage : prière, guérisons, conversions, engagements apostoliques au retour.

Le père Gianni Sgreva, qui projetait de fonder une communauté pour vivre le message de Medjugorje, se demandait si ce projet n'était pas prématuré, les apparitions n'étant pas reconnues. Le cardinal Ratzinger lui répondit : « Ne vous en inquiétez pas, *les faits*, nous nous en occupons. Occupez-vous des *fruits.* »[4]

Le premier fruit, l'immense bienfait des apparitions, c'est l'appel à la prière. Tout de suite, Marie avait engagé Bernadette à dire le chapelet, seule prière que cette pauvrette connaissait. Depuis ce premier rosaire dit en présence de Marie (« La vision, précise Bernadette, faisait courir les grains de son chapelet, mais elle ne remuait pas les lèvres »), que de prières ont été lancées de Lourdes vers le ciel !

Bien sûr, tous les visiteurs ne prient pas. Haut lieu de la prière, Lourdes est aussi le monde de la superstition, de la curiosité touristique, et du commerce religieux (les vierges-bouteilles !).

Mais celui qui va à Lourdes pour prier prie beaucoup. Et celui qui avait perdu le goût de la prière a de grandes chances de le retrouver là-bas.

L'effort actuel d'évangélisation dans les pèlerinages

Je veux m'en tenir à l'exemple si typique de Lourdes, mais on pourrait dire les mêmes choses au sujet des autres hauts lieux d'apparition : Notre-Dame de Guadalupe, au Mexique (1531), La Salette, Fatima, Medjugorje et les sanctuaires moins universellement connus.

---

4. René Laurentin, *Multiplication des apparitions de la Vierge, op. cit.*, p. 42.

Souci profond des animateurs de pèlerinages aussi bien que des responsables de sanctuaires : évangéliser[5]. *La liturgie, la musique, les chants ont su respecter la modestie de l'expression populaire pour présenter la Parole de Dieu. On ne chante plus à Lourdes : « Ô Marie, Ô Mère chérie, garde au cœur des Français la foi des anciens jours », mais « Vierge sainte, Dieu t'a choisie » avec comme versets les Béatitudes. Se mettre à l'école de Marie catéchiste de Bernadette, tel est le chemin ouvert aujourd'hui aux pèlerins.*

On leur ménage maintenant quatre journées où par les mystères du rosaire ils revivent l'Évangile avec les questions qu'on pose actuellement.

La place donnée au célèbre chemin de croix, à la confession, à une célébration du baptême, à une catéchèse de l'eau, souligne l'importance de la conversion comme centre du Message de Lourdes.

La dernière étape fait découvrir aux pèlerins qu'ils sont membres d'un peuple de Dieu. Au retour de Lourdes, Dieu les attend dans leur famille, leur travail, leur paroisse, ou tel mouvement.

En conclusion, Joseph Bordes a le droit d'affirmer qu'aucun baptisé ne peut être gêné par un culte marial qui le ramène sans cesse au Christ et à l'engagement apostolique.

---

5. « Lourdes après Vatican II », par Joseph Bordes, dans *La Vierge Marie dans la piété du peuple chrétien depuis Vatican II* (Études mariales, Médiaspaul).

Et les guérisons ?

À Lourdes, les malades sont omniprésents. Les souffrances, mais aussi la patience, le sourire et la prière de ces immobiles, assis ou allongés, est un spectacle qui change n'importe quel pèlerin ou même simple visiteur. « Impossible, ici, disait l'un d'eux, venu d'abord en touriste, impossible d'être mesquin. »

Ces souffrants sont venus demander leur guérison, et tous ceux qui s'occupent d'eux demandent leur guérison. Mais Lourdes est une école de la demande, une conversion de la demande en chemin vers l'adhésion à la volonté de Dieu.

Quel regard alors sur Marie ! Vers la mère compatissante, bien sûr, mais peu à peu vers la Vierge de la demande à Dieu. Marie à Cana. Attentive à nos besoins et les présentant brièvement à son Fils. Puis se tournant vers nous pour nous insuffler sa confiance : « Faites ce qu'il vous dira. Faites-lui entièrement crédit. »

C'est l'entrée dans la volonté de Dieu, l'immense rumeur des *fiat* qui marque tellement Lourdes. Mais que met-on dans cet effort pour vouloir ce que Dieu veut ?

L'espoir de guérison. Il y a des guérisons à Lourdes et dans tous les lieux de pèlerinage. Mais le plus extraordinaire des miracles, que tout le monde peut constater, c'est le climat du retour à la maison de la foule des non-guéris. Dans les trains, on chante et on prie. On a reçu à Lourdes une grâce de paix et d'adhésion à la vie la plus dure, celle qu'on ne pouvait plus accepter avant d'aller à Lourdes. Le *fiat* de Lourdes n'est pas un dépit ou une résignation, c'est l'adhésion, marque mariale par excellence.

Et l'offrande des souffrances ? Là, il faut faire très attention à un court-circuit qui conduirait à une très mauvaise idée de Dieu. Comment imaginer que lui qui nous aime pourrait être heureux de recevoir en cadeau nos souffrances, même pour un mystérieux travail de rédemption ? La rédemption serait un abominable marché s'il fallait la payer avec les larmes de Jésus et les nôtres.

Oui, on offre quelque chose qui est puissamment rédempteur : la patience et l'amour avec lesquels on accepte la souffrance sans se laisser submerger par elle. Marie n'a pas offert les souffrances de son Fils, elle a offert l'inimaginable amour qui montait de l'agonie, de la flagellation, du chemin de croix, du « J'ai soif » et du « Pourquoi m'as-tu abandonné ? ». Mais aussi du « Pardonne-leur » et de la confiance victorieuse, rédemptrice : « Père, entre tes mains je remets mon esprit. »

Les malades de Lourdes, d'eux-mêmes ou affectueusement éveillés à la véritable offrande, réalisent l'œuvre d'amour qui s'effectue mieux près de Marie.

Mais il y a aussi des guérisons douteuses, des déceptions mal acceptées, de fausses idées de Dieu et du rôle de Marie ? Pourquoi le nier ? Le monde des apparitions mariales exige une pastorale fine et incessante. La religion populaire doit être évangélisée, et quand on songe aux foules que les pèlerinages attirent dans le monde entier, ce n'est pas un apostolat mineur !

Neuvième regard

Accueillir Marie dans notre vie

Contemplant Marie au pied de la Croix, l'évangéliste nous redit comment Jésus l'a confiée à Jean, « Voici ta mère »; l'évangéliste poursuit : « Depuis ce moment-là, le disciple la prit chez lui » (Jn 19, 27).

Ce sera le point de départ de cette méditation : comment accueillir Marie dans notre vie ?

Les fêtes liturgiques de Marie

Et d'abord, quelle est la place de Marie dans la liturgie qui réveille et nourrit notre vie de prière tout au long de l'année ?

Dans son *Exhortation apostolique sur le culte marial*[1], Paul VI donne immédiatement le ton : « Les formes de

1. 2 février 1974. Texte dans *La Documentation catholique* et aux Éditions du Centurion.

piété envers Marie, approuvées par l'Église, se développent dans une subordination harmonieuse au culte du Christ. »

Voilà pourquoi, dans la liturgie d'après le Concile, en plus d'un émondage, deux fêtes ont changé de titre : l'Annonciation est redevenue l'*Annonciation du Seigneur*, et la Purification de Marie reprend le nom de *Présentation du Seigneur*. « Il s'agit d'une mémoire conjuguée du Fils et de la Mère, c'est-à-dire la célébration d'un mystère du salut opéré par le Christ mais auquel la Vierge fut intimement unie. »

Il y a maintenant trois *solennités mariales* qui célèbrent les trois grandes affirmations dogmatiques : Marie Mère de Dieu (1er janvier), Immaculée Conception (8 décembre) et Assomption (15 août).

S'y ajoutent deux fêtes : la Nativité (8 septembre) et la Visitation (31 août).

Et huit *mémoires mariales :* Notre-Dame de Lourdes, le Sacré-Cœur Immaculée de Marie (le samedi après le Sacré-Cœur de Jésus), Notre-Same de Mont Carmel (16 juillet), Sainte-Marie majeure (5 août), Marie Reine (22 août), Notre-Dame des Douleurs (15 septembre), Notre-Dame du Rosaire (7 octobre) et Présentation de Marie (21 novembre).

Le mois de mai a toujours été le « mois de Marie », octobre est le mois du Rosaire, et chaque samedi on peut célébrer une messe en l'honneur de la Sainte Vierge.

Une seule de ces fêtes me gêne un peu, celle de Marie Reine, comme aussi le cinquième mystère glorieux : le couronnement de la Vierge. Je ne vois pas bien Marie en reine, sinon dans la ligne de son élan : « Je suis la servante du Seigneur », dernier mot de l'évangile choisi pour cette fête. C'est d'ailleurs l'esprit même du Christ, pour qui servir est la plus haute royauté. On peut contempler aussi en Marie la royale universalité de son intercession qu'elle exerce avec un cœur royal, purifié de tout intérêt, de toute ambition. Personne d'ailleurs ne semble choqué par les *Salve Regina* qui montent des Trappes tous les soirs et de tant d'autres chants liturgiques où l'on donne à Marie ce titre de Reine.

Paul VI note, au cœur de la liturgie eucharistique, la mention de Marie dans le Canon romain : « Nous voulons nommer en premier lieu la Bienheureuse Marie toujours vierge, Mère de notre Dieu et Seigneur Jésus Christ. » Et dans la Prière eucharistique n° 3 : « Que l'Esprit Saint fasse de nous une éternelle offrande à ta gloire [du Père] pour que nous obtenions un jour les biens du monde à venir auprès de Marie. »

Nous célébrerons d'autant mieux ces fêtes mariales que notre dévotion à Marie sera doctrinalement solide, libérée de tout lyrisme exagéré, et surtout ramenée au critère essentiel : en quoi glorifier Marie nous attire davantage au Christ ? C'est par ces attitudes que Marie sera heureuse d'être très purement fêtée.

L'Angelus

Après la liturgie officielle, Paul VI évoque « les pratiques de vénération envers la Vierge ». Sous deux aspects : rénover ce qui en vieillissant a pu perdre contact avec les sensibilités actuelles. Et innover ! Il faut soutenir l'inspiration créatrice de ceux qui par inspiration religieuse ou souci pastoral désirent donner naissance à de nouvelles formes.

En attendant cette créativité, pourquoi ne pas vivifier au maximum deux rencontres mariales très populaires : l'*Angelus* et le Rosaire ?

Trois atouts pour l'*Angelus :* caractère biblique, rythme quasi liturgique (matin, midi et soir) et rappel de l'œuvre du Salut, de l'Annonciation à la Croix. Une adaptation est nécessaire, on ne verra plus des gens s'agenouiller partout aux premiers tintements des cloches, mais qui peut nous empêcher de nous agenouiller en pensée et de stopper n'importe quelle activité pendant quelques minutes pour reprendre contact avec Dieu par Marie ?

L'Ange du Seigneur annonça à Marie
qu'elle serait la mère du Sauveur.
Et elle conçut du Saint-Esprit.
Je vous salue, Marie, etc.

Voici la servante du Seigneur
Qu'il me soit fait selon ta parole.
Je vous salue, Marie, etc.

Et le Verbe s'est fait chair.
Et il a habité parmi nous
Je vous salue, Marie, etc.

Priez pour nous Sainte Mère de Dieu
Afin que nous soyons rendus dignes des promesses du Christ.

Prions : Que ta grâce, Seigneur notre Père, se répande en nos cœurs. Par le message de l'Ange, tu nous as fait connaître l'Incarnation de ton Fils bien-aimé. Conduis-nous par sa Passion et par sa Croix, avec le secours de la Vierge Marie, jusqu'à la gloire de la Résurrection. Par Jésus, le Christ notre Seigneur. Amen.

Le Rosaire

On peut comprendre ceux qui sont allergiques au chapelet, c'est une répétition qui risque toujours de devenir machinale, mais sous l'abus d'une chose reste la valeur de cette chose si vraiment elle est bonne.

Que vaut donc le chapelet ? Ce que vaut toute prière : elle n'est bonne que lorsqu'elle naît du dedans de notre cœur et s'efforce de ne pas lâcher Dieu. Prier, c'est aimer Dieu.

On peut faire du Rosaire une contemplation, une révision de notre foi, ou une demande pour nos besoins personnels ou communautaires.

Pour me limiter, je m'en tiendrai à la contemplation, avec le guide qui m'a le plus révélé le Rosaire : Romano Guardini[2].

Pour lui, c'est un exercice d'adhésion, donc éminemment marial. Tout peut être porté devant Dieu avec Marie et comme elle. L'immense grâce du Rosaire, c'est de nous accoutumer à l'idée que Dieu nous aime. Sur les trois claviers de la joie, de la douleur et de la gloire, le Rosaire chante inlassablement un incroyable amour : nous signifions réellement quelque chose pour Dieu, nous sommes plus précieux pour lui que nous ne l'imaginons, Son goût si mystérieux pour l'homme l'a poussé à vouloir devenir homme. Voilà le fond du Rosaire : rappeler l'Incarnation et la revivre avec Marie.

C'est tout de même une fameuse trouvaille, ce parcours des quinze Mystères du Christ qui peuvent devenir les

---

2. *Le Rosaire de Notre-Dame*, par Romano Guardini (Bloud et Gay).

nôtres. Si nous laissons notre vie ouverte au Christ, il s'exprimera et grandira en nous. « Que je lui sois, disait Élisabeth de la Trinité, une humanité de surcroît en laquelle il renouvelle tout son mystère. »

C'est cette pensée que déploie le Rosaire. Ce qui s'est accompli en Marie, explique clairement Romano Guardini, ne s'est pas accompli dans un lointain sacré qui nous dépasserait, mais constitue au contraire la réalisation unique et pourtant exemplaire de ce qui doit s'accomplir en chaque vie : que le Fils éternel de Dieu prenne un nouveau visage dans l'existence du croyant.

Pensées trop hautes pour la répétition de nos *Ave* ? Non. Ils créent un paysage, le monde de la Révélation, qui fut le monde de Marie. Elle est là chez elle et nous y invite.

Surtout, refuser l'obsession quantitative ! « Je n'ai pas dit tout mon chapelet. Je n'arriverai pas à finir aujourd'hui tout mon Rosaire. » J'ai entendu autrefois s'exprimer ces scrupules. On comprend mieux depuis quelque temps qu'une seule dizaine très lente et vraiment contemplative est un excellent Rosaire.

Je vais cueillir maintenant, toujours dans le merveilleux petit livre de Romano Guardini et dans ma propre méditation, quelques brèves notations pour chaque mystère.

1. *Annonciation.* L'heure la plus secrète pour le plus grand événement de l'histoire. Nouvelle genèse. Regard du Fils vers la terre. Vers nous ! Et l'obéissance humaine la plus décisive. Un *fiat* jailli si simplement. Voici pourtant la jonction entre la terre et le ciel. Nous avons constamment nos propres annonciations. Heureuses, et parfois terribles. Que ce premier mystère nous mette et nous remette dans le oui.

2. *Visitation.* Aller dire notre bonheur à Dieu à qui peut le comprendre. *Magnificat !* Recevoir Marie dans un cœur pas trop indigne d'elle. Savoir être visité. Et savoir visiter, même par lettre ou téléphone. Prier pour tous les visiteurs d'hôpital, de prison, de personnes seules et âgées.

3. *Nativité.* Inépuisable contemplation de l'Incarnation. Dieu devenant notre frère, et même notre vie. En prendre assez conscience pour que ce Mystère soit la réalité souveraine de ce qui se passe en nous. « Il n'y aura pas Noël, dit Silesius, si Dieu ne s'incarne en toi. » Noël, mystère de Dieu humanisé et de l'homme déifié.

4. *Présentation de Jésus au temple.* Dignité paisible de la pauvreté. Deux tourterelles, mais cet Enfant déjà offert au Père. Obéissance qui nous coule dans la volonté de Dieu même sous un visage légaliste ! L'Amour transfigure tout. Mais dans ce mystère joyeux passe l'évocation des Sept Douleurs. Marie ne nous protégera pas contre les périls, elle nous montre comment les vivre.

5. *Jésus perdu et retrouvé.* Sécheresse spirituelle. Où est ce Jésus qui semblait si proche ? « Ils ne comprirent pas », dit Luc devant la double angoisse des parents : avoir perdu leur enfant et le retrouver tellement changé : « Vous ne saviez pas ? » Nous ne comprenons pas, nous ne savons pas non plus pourquoi la vie avec Jésus est parfois bien difficile. Accepter ces chemins de purification. De toute façon, Il est là. Un jour nous retrouverons une présence plus sensible, dans une autre clarté. Et enfin Il sera là sans que jamais plus nous la perdions, Lui que nous aurons tellement cherché.

6. *L'agonie à Gethsémani.* Est-ce possible ? Le Fils de Dieu prostré sur cette pierre. Suant le sang de l'angoisse, de la peur, du dégoût d'avoir à porter de telles fautes des

hommes et leurs souffrances. L'heure de l'insupportable questionnement. Pourquoi moi, Jésus, suis-je là en agonie ? Ô Père ! Mais pas ma volonté, la tienne. Je veux sauver ceux qui n'arrivent plus à croire à ton amour. Qu'ils me regardent ici.

Que viennent près de Jésus, pendant cette dizaine, les pires angoisses, les atroces douleurs, l'envie de lâcher un Dieu qui nous aime, nous le croyons malgré tout. Mais comment aime-t-il ?

7. *La flagellation.* Je ne peux supporter qu'on ait pu faire subir à Jésus ce supplice horrible. J'ose à peine y apporter mes toutes petites souffrances, mais je prie pour les torturés, pour ceux qui sont flagellés par des tortures morales. Seigneur, en souvenir de ton courage sous les coups, donne aux souffrants assez de force pour ne pas sombrer.

8. *Le couronnement d'épines.* On s'est moqué de Jésus en lui enfonçant des épines cruelles. On y a ajouté les lourdes railleries de ces soldats. Elles ne pouvaient pas l'atteindre, mais les crachats ? Quelle réponse à Celui qui venait apporter l'amour ! Que tant de dérision nous arrache à l'orgueil. Notre réponse, pendant cette dizaine, doit être une haine de ce que nous découvrons en nous de suffisance, vanité, prétention, misérable susceptibilité. Ô Jésus, purifie-moi des mauvaises tristesses : jalousie, dépit d'avoir été peu considéré, humiliation d'avoir tort ou d'être ridiculisé pour une ignorance. Broyer tout cela avec tes épines.

9. *Le chemin de croix.* Je revois le parcours dans Jérusalem. Je te suis épuisé, tombant et te relevant, et trouvant la force de dire à des pleureuses : « Pleurez sur vous. » Je veux pleurer sur mes lâchetés, mes refus de porter une croix. Je me tiens près de Marie qui a vu cela, qui t'a réconforté par

son courage. Ne pas lui demander d'échapper aux croix, mais de les porter près de Jésus. De me relever autant de fois qu'il le faudra. D'apprendre à aider quelqu'un qui n'en peut plus sous une croix trop lourde.

10. *Le crucifiement et la mort.* Je ne comprends pas. Je reste là près de Marie qui ne pouvait pas encore tout comprendre, mais qui adhérait plus que jamais à tant de mystère : ces souffrances et cette mort par lesquelles le Messie sauvait le monde. Recevoir là Marie comme mère. Une mère courage. Une mère qui me demande de croire à cette Rédemption et d'y participer le mieux possible. Par des paroles, par des actes, par la patience puisée près de Jésus en croix. Il est allé jusque-là pour que nous puissions accomplir le dernier pas. Si Jésus n'était pas passé par là, il serait resté si loin de nous.

11. *Résurrection.* L'immense grâce à puiser dans ce mystère, c'est de comprendre que notre vie est pascale et de retrouver inlassablement ce secret trop oublié : transfigurer les « morts » en résurrection, en chemins de résurrection. Recevoir les deuils : deuils proprement dits, mais aussi les ruptures d'une amitié, d'un couple, les changements de situation, la naissance d'un enfant handicapé, l'annonce d'un cancer, le chômage, non comme un arrêt de vie mais comme un appel à vivre autrement. On pensera que c'est un peu facile à dire. Pourtant, la grâce de résurrection est là. Donnée à la prière, à la foi et à l'espérance. Il faut passer à tout prix une frontière, aller jusqu'à d'autres signes de vie et mériter la puissance de la Résurrection (Ph 3, 10). Ce qui paraît ordinairement très théorique devient le combat farouche entre la mort et la foi.

12. *Ascension.* Mystère de verticalité. Il y a autre chose dans la vie des hommes que leurs travaux et leurs relations à ras de terre. Ce n'est pas seulement la somme de nos joies et de nos peines qui fait notre vie, c'est le dernier acte : le retour en Dieu. Jésus est allé rejoindre le Père et il nous attend dans cet ultime mystère du pays de Dieu et de la vie en Dieu. Éternelle ! Et joie sans la plus minime trace de douleur, sans plus jamais de menace. Pourquoi se priver de ce moment d'espérance ?

13. *Pentecôte.* Marie au milieu des apôtres. Ils comprennent enfin qui est Jésus. Elle voit enfin qui est son Fils étrange. Près d'elle nous apprenons nous aussi qui est Jésus. C'est déjà une grande lumière. Mais à transformer très vite en lumière pour ce que nous avons à vivre avec Jésus. La même vie mais hantée par l'envoi aux autres : « Allez dans le monde entier. » Un monde entier qui commence à notre immeuble, à notre travail.

14. *Assomption.* Marie de la grande espérance. Mais aussi de l'attente très riche. Elle nous montre comment vivre sur la terre avec l'éternité plein la tête. Le Christ est à notre porte. Il frappera non pour souper avec nous mais pour nous emmener chez lui où nous verrons la splendeur de la Vierge du 15 août. Le jour de son Assomption nous découvrons en Marie la lumière de notre plénitude : mystère de ce que sera notre propre entrée dans la gloire.

15. *Le couronnement de la Vierge.* Danger. Certains tableaux et certaines louanges placent Marie au centre de tout, à part de tout. Elle n'est pas un monde à part, elle n'a pas introduit le Fils de Dieu dans sa maison, dans son corps et dans sa vie. C'est l'Esprit qui l'a fait entrer dans le monde de Jésus. Il n'y a pas de dévotion à Marie toute seule, reine d'un royaume imaginaire, il n'y a qu'une dévo-

tion à Marie au service de Jésus. Elle nous révèle comment on peut être aimé par Jésus, et là elle est reine, reine de l'attirance à Jésus. Lorsque nous prions Marie, quand nous chantons ses louanges, si Jésus ne surgit pas tout de suite dans nos pensées, nos chants, et notre Rosaire, c'est que nos *Ave* ne vont plus à la vraie Marie. Elle est la reine de nos vies pleines de Jésus. Oui, Marie est couronnée, mais dans le Royaume du Christ-Roi.

Marie des icônes

Les icônes, nous les aimons, mais notre amour risque d'être superficiel. Si l'on veut regarder Marie des Icônes, une initiation n'est pas superflue. Je l'ai demandé à nos frères orthodoxes.

L'icône est liée à l'incarnation : elle n'existe que parce que Dieu a voulu se rendre visible, et sa mission est de nous mettre en contact avec le visible de l'invisible.

On voit tout de suite la différence avec nos tableaux religieux. Ils nous arrêtent à eux-mêmes et à nous-mêmes. J'admire une Vierge de Raphaël ou de Botticelli, je ne vais pas plus loin que cette beauté, je la regarde, alors que l'icône me regarde. Ses grands yeux me parlent d'un ailleurs et m'attirent vers cet ailleurs.

J'écris cela devant la Vierge de Vladimir qui nous est devenue si familière. La seule chose importante c'est que je suis regardé par Marie, le visage de l'icône se fait lieu de communion, elle offre une rencontre. Ici, c'est la rencontre avec la tendresse. Joue contre joue et le collier des petits bras. Dieu nous aime, il s'est incarné pour cet amour, sa première découverte du monde des hommes a été la tendresse d'une maman. Ce ne sont pas seulement nos peines et nos gloires qui sont transfigurées, mais la tendresse.

L'autre rencontre avec Marie des Icônes c'est la Vierge qui nous conduit à Jésus. Elle le présente au monde : « Voilà votre chemin et votre vie ».

Prédication immobile et silencieuse. L'émotion existe dans les icônes, contenue. Regarder une icône est toujours une avancée dans l'intériorité et la paix.

Les yeux disent : « Mes yeux ont vu le salut. » Le nez allongé et fin exprime la noblesse, la bouche est fine, sans aucune sensualité. La chair épousée par le Verbe reste matière mais spiritualisée. L'icône s'oppose à deux de nos tendances : le réalisme sensuel et l'envie de réfléchir trop vite au lieu de regarder. L'icône n'est rien qu'une œuvre d'art folklorique si elle n'est pas contemplée. Elle fixe l'esprit sur l'image et l'ouvre à la réalité symbolisée : descente de Dieu vers l'homme et élan de l'homme vers Dieu[3]. Nous sommes image de Dieu, mais nous devons devenir ressemblance, et c'est le travail de l'Esprit qui s'exerce plus ou moins fortement selon notre ouverture et notre appel. La contemplation d'une icône est un appel à l'Esprit et l'icône de la Vierge nous rappelle qu'elle est le chef-d'œuvre de l'Esprit.

---

3. Dans l'excellent petit livre de Michel Quenot *L'icône* (Cerf-Fides), auquel j'ai emprunté les idées de ce chapitre.

Prière que récite le peintre d'icônes avant de se mettre au travail

Toi, Maître divin
de tout ce qui existe,
éclaire et dirige
l'âme, le cœur et l'esprit
de ton serviteur ;
conduis ses mains
afin qu'il puisse représenter
dignement et parfaitement
Ton image,
celle de Ta Sainte Mère
et celle de tous les saints,
pour la gloire,
la joie
et l'embellissement
de Ta Sainte Église.

Dixième regard

Marie de nos vies

Après tous ces regards sur Marie, j'ai plus que jamais envie de la prendre comme modèle de sainteté.

Deux paroles me paraissent éclairantes. Celle de Jésus à propos de l'homme qui a très bien utilisé les cinq talents reçus, c'est-à-dire la vie qui lui était offerte : « C'est bien, bon et fidèle serviteur. Sur peu tu as été fidèle, sur beaucoup je t'établirai. » Même approbation pour l'homme qui n'a reçu que deux talents : l'important ce n'est pas ce qu'on a reçu, c'est ce qu'on en fait. Tous les deux ont parfaitement saisi leurs chances de vie. Marie n'a pas gâché ses dix prodigieux talents.

L'autre parole est celle de Patrice de la Tour du Pin, thème de sa belle hymne qu'on chante le jeudi matin de la première semaine à laudes : « Couvez la vie, c'est elle qui loue Dieu. »

Marie s'est coulée dans cette spiritualité de la vie. Probablement par tempérament, mais sûrement par l'influence de l'Esprit. Pour plaire à Dieu, elle a toujours fait très exactement ce qu'il fallait faire.

Elle a été préparée au grand oui de l'Annonciation parce qu'elle disait continuellement oui aux peines comme aux joies. Tant de oui l'ont mise à la hauteur du terrible *fiat* devant son Fils torturé.

C'est dire que « couver la vie » n'est pas une spiritualité mièvre ! Elle exige d'abord une attention sans faille à ce qui nous arrive, pour être parfaitement accueil. Le « parfaitement » caractérise Marie et les saints. Bien voir ce que Dieu attend de nous par la vie.

Je sais qu'il y a la Bible, mais que peut faire la Bible devant une fracture ou l'annonce d'un cancer ? Elle ne nous aide que si elle est lumière sur cette vie très réelle, quotidienne, avec ses coups durs, sa monotonie et ses surprises.

La Bible tout entière n'est qu'un énorme conseil : « Dis oui à ce qui t'arrive. Dieu est là, il attend ton adhésion. »

Marie nous enseigne l'adhésion, haute forme de respect et d'amour à l'égard de Dieu. Adhérer le plus vite possible et le plus entièrement possible, c'est croire que Dieu nous aime. Il voit toujours mieux que nous ce qui va nous grandir, et il nous aidera si nous restons bien là, dans cet appel de la vie.

Mais rester là en refusant toute évasion est bien plus difficile que l'adhésion première, la durée est toujours plus difficile que l'élan. Après l'accueil nous sera demandée la patience. Correspondre le mieux possible à la situation qui surgit ou aux talents offerts. Cela ne supprimera pas toujours l'angoisse mais la fera vivre elle-même dans l'adhésion.

Les six paroles de Marie

Pour cette tenace durée dans l'adhésion, Marie est bien le modèle suprême. Le secret de sa sainteté n'est pas facilement repérable parce que sa parfaite correspondance à la vie aboutissait au paradoxe d'une existence extraordinaire cachée dans l'obscur des tâches ordinaires, des réactions ordinaires et des paroles ordinaires… sauf six paroles inépuisables.

Lorsque j'étais jeune novice, le Père Maître m'avait donné comme pénitence de recopier toutes les paroles de Marie dans les quatre Évangiles. Connaissant aussi mal Marie que les Évangiles, je me suis procuré un gros cahier… où je n'ai pu recopier que ces six paroles. Vieux religieux, je les transcris avec amour une deuxième fois, pour ce regard sur la Silencieuse.

1. Comment cela se fera-t-il puisque je suis vierge ?
2. Je suis la servante du Seigneur, qu'il me soit fait selon ta parole.
3. Le Magnificat.
4. Mon enfant, pourquoi nous as-tu fait cela ? Ton père et moi te cherchions, angoissés.
5. Ils n'ont pas de vin.
6. Faites ce qu'il vous dira.

Surtout pas Marie-Refuge !

Accueillir Marie dans notre vie c'est bien accueillir la tendresse d'une mère. Mais une mère forte. Marie n'a pas été craintive ni pour elle-même ni pour Jésus. Elle ne le sera pas pour nous. Elle n'a qu'une manière de nous aimer : vouloir que nous soyons d'autres Christs. À tout prix. Et ce n'est pas une formule ! Ne lui demandons jamais d'être pour nous un refuge contre un devoir trop dur ou une patience qui nous fait peur. Demandons-lui de croire comme elle à la parole qui lui a permis de tout porter : « Avec Dieu, rien n'est impossible. »

Merci pour le plus grand secret de la vie

Marie, je te remercie de nous avoir donné le plus grand secret de paix et de plénitude : au moment même où nous faisons ce que Dieu, par la vie, attend de nous, nous sommes saints, pleinement saints. Inutile de nous tracasser excessivement pour quoi que ce soit.

De moment en moment où nous sommes très exactement ce que nous devons être, nous construisons une vie comme la tienne, Marie.

Extraordinairement ordinaire.

Bibliographie

Dans cette très brève bibliographie (les livres sur Marie sont innombrables !) je cite les ouvrages qui m'ont beaucoup aidé.

BARNAY Sylvie, *Les apparitions de la Vierge* (Cerf-Fides).

BORDES Joseph, *Lourdes après Vatican II* (Études mariales, Médiaspaul).

BRAUN François-Marie, dans *la Sainte Bible* de Pirot et Clamer, volume X.

BUR Jacques, *Pour comprendre la Vierge Marie* (Cerf).

CONGAR Yves, *Le Christ, Marie et l'Église* (DDB).

Dictionnaire de la vie spirituelle (Cerf).

Catéchisme pour les familles orthodoxes, *Dieu est vivant* (Cerf).

DUMAS André et Francine, *Marie de Nazareth* (Labor et Fides).

La foi catholique, textes doctrinaux du magistère catholique (L'Orante).

La foi des catholiques (Centurion).

GUARDINI Romano, *Le Rosaire de Notre-Dame* (Bloud et Gay).

HUGH Jean-Marc, *La mère de Jésus dans le Nouveau Testament* (Cerf).

LAURENTIN René, *Une année de grâce avec Marie* (Fayard).

LAURENTIN René, *Court traité sur la Vierge Marie*, édition postconciliaire (Lethielleux).

LAURENTIN René, *La question mariale* (Seuil).

LAURENTIN René, *Structure et théologie de Luc I-II* (Gabalda).

LAURENTIN René, « Marie » *dans Catholicisme* (Letouzez et Ané).

LAURENTIN René, *Multiplication des apparitions de la Vierge aujourd'hui* (Fayard).

LAURENTIN René, *Message de Lourdes* (Éditions B.P.).

LE GENDRE Olivier, *Le Charpentier* (Éd. Anne Sigier).

LEGRAND L., *L'annonce à Marie* (Cerf).

LUTHER Martin, *Le Magnificat* (Nouvelle Cité).

Marie, numéro spécial de « Panorama », hors-série n° 14. Très riche.

MICHAUD Jean-Paul, « Cahiers Évangiles » n° 77, *Marie des Évangiles.*

MICHEL Jean-Claude, *Qui es-tu, Marie ?* (Lion de Juda).

Paul VI, *Marialis cultus* (Exhortation apostolique sur le culte marial, Documentation catholique et Centurion).

PRÉVOST Jean-Pierre, *La mère de Jésus* (Cerf).

QUENOT Michel, *L'icône* (Cerf-Fides).

RAHNER Karl, *Marie, mère du Seigneur* (L'Orante).

RÉGAMEY P., *Les plus beaux textes sur la Vierge Marie* (La Colombe).

ROUET A., *Marie* (Centurion).

SANSON Henri, *Nazareth, intimité spirituelle* (DDB).

SESBOÜÉ P., *Pour une théologie œcuménique* (Cerf).

ZIBAWI Mahmoud, *L'icône, sens et histoire* (DDB).

Table des matières

N° éditeur : 2114

Aubin Imprimeur
LIGUGÉ, POITIERS

IMPRESSION – FINITION

Achevé d'imprimer en mars 1995
N° d'impression L 48816
Dépôt légal mars 1995
Imprimé en France